こちら葛飾区亀有公園前派出所⑦

治

文庫

こちら葛飾区
亀有公園前
派出所⑦

目次

夢《ゆめ》の手どり一億《おく》円の巻《まき》
押ボタン式
亀有公園前派出所
冬の交通安全週間
警視庁
660-16
ピンときたら110番

フェラーリF1 タイプ125
売っちゃったんですか？先輩の作ったミニチュアカー！
両津氏作品
まだ売れるかどうかわからんがな
アメリカのミニチュアカーオークションにだしたんだ
中学の時からパーツなど削りだしで一台ずつ作ってた車だよ 全部で10台くらいあるかな
渋谷《しぶや》のミニカーショップにかざっといたやつだよ
手作りコレクション
両津
知り合いのマニア連中もほしがってましたよ先輩の車は！
半年くらいかけて作った自信作ばかりだよ しかし生活苦のため やむなく手ばなすことにした！
ミニカーショップの店長のはからいで海外のオークションにかけたんだ
アメリカやヨーロッパじゃ手作り《フル・スクラッチ》のミニチュアカーがなん百万円の値がついてますからね 先輩のも高く評価されますよ
だといいけどなあ…
材料費だって一台につき10万円以上かかってるからなあ！

真《しん》ちゅうのままで あまりきれいじゃないわね！
うるさいな！
お前なんかに男のロマンがわかってたまるか！
しっ しっ
あっちいけ！
男のロマンがどうかしたのか？
あっ部長!!
先輩の作った車のグラフィティーですよ 名車ばかりですよ！
マツダキャロルだろ！ずいぶん変な形だな
フェラーリGTO《ジーティーオー》ですよそれは！

そういうくだらんことをする時間があったら法律のひとつでも多くおぼえろ!
どうも誤解されてますね
趣味なんて興味のない人間には理解できんからな
どうかひとつ一円でも高く売れますように!
パン
パン
ヴォオーン
MARK
キイ
おやっ
そのミニカーショップの店長がきましたよ
吉報かな?
両《りょう》さん大変だ
うわ

あわてんなよ バカ! しっかりしろ!
う… 売れたんだ 両さんのモデルカーが! 全部!!
やった! そりゃよかった!
すごい値で売れたんだ! 金持ちのフェラーリコレクターが買ってな!
一台30万円くらいになったか?
いいか! きいておどろくなよ!
ゴク…
80万ドルで売れたんだ すごいだろ!!
えっ
80万円とはすごい! やったな
ちがう 80万ドルだ 全部で!
中川《なかがわ》! 80万ドルって日本円《にほんえん》になおすといくらだ?
現在レートが1ドル130円ですから… 1億400万円ですよ
御用

なに一億400万円だって!!
そうだよ！せり合って80万ドルの値で売れたんだ！すごいだろ！
明日にでもうちの会社に送金されるから 両さんの口座にふりこむよ
一億円とはすごい！
まて！店長！喜ぶのははやい！
えっなぜ？
喜ぶのは現金を見てからにしよう！
今までも寸前のところでオジャンになってぬかよろこびというパターンが多かった！

ここはひとつ慎重に対処しよう！
かなり疑心暗鬼《ぎしんあんき》になってますね
わしだって信じられんよあんなゴミが一億で売れるとは……
うおおお
すごい！現金一億だあああ

会場使用料で 1%《パーセント》104万円を 引かれて一億 296万円になったけど
そんな金 引かれたうちに 入らん！ すっげ――っ 1万円札の パレードだ!! おおおおっ 金だああ！
本当に 売れるとは…
おい 両《りょう》津《つ》！
ガ
わっ
この金で 家を買え!!
なんです とつぜん
明日にでも 知り合いの 不動産屋に きいてやる！ 新《しん》松《まつ》戸《ど》あたりで すばらしい 一戸建てを 買うんだ！
家があれば 見合いの時 有利だ！ 嫁のくる 可能性があるぞ！

部長!!私 結婚なんて まだはやい ですよ!
おそい くらいだ! はやく身を かためろ!
一億円の 使いみちに ついては… 中古のM《エム》48戦車《せんしゃ》が 売りにだされて たので… それを…
まだ そんなこと いってる のか!!
いい歳《トシ》して 戦争ごっこ してる場合じゃ ないだろう!
いや!戦車は 純粋な コレクションとして 寮に かざろう かと…
目を さますんだ 両津!! 小学生が お年玉を もらったのと ちがうんだぞ!!
どうして もっと 有意義に 使えんのだ!
そうだ! これなら 有意義です!
競走馬を 買うんですよ!
一億なら いい馬が 3頭くらい 買えますよ
明日にでも さっそく 北海道《ほっかいどう》へ 行って えらんで きましょう
ROCK TODAY
BURRN!
もっと 現実的な 物を買うんだ!!

一番手がたい方法ですよ！3頭のうちの1頭でも大レースに出場して優勝してごらんなさい！
一億円どころかなん億にもふえてもどってきますよ
一億円は夢が広がるなあ！世の中がバラ色に見えるぜ！
わははははは
全部使っちゃったら税金がはらえないわよ
ピクッ
ふふおどかそうとしてもムダだ…
税金はわしの給料からちゃーんと引かれておる！
それと別よ・・・一億円について税金がかかるのよ！
本当かよ？
そんなことも知らんのか…
おい中川！いったいいくらぐらい税金がかかるんだ！
一億円の収入となると かなりの額になりますよ 先輩の場合一時所得で必要経費もほとんどないし…

所得税と住民税を合わせて8,000万円くらいとられますね 残りはだいたい2,000万円くらい…
なんだと‼
そんなバカな話があるか！ふざけるな
ふざけてませんよ！計算するとそうなります！
なんで国に8,000万円もはらわなきゃいけないんだ！バカにするな‼
両ちゃん落ちついて！それでも税率は下がったほうなのよ！
一億のうち8,000万円もとられてどこが下がったんだ‼
だれだって一億円の収入があれば同様の税金を国にはらってるのよ
うそをつけ‼
8割もかってにとられてだまってるやつなんざこの世にいるかァ‼

わしがかせいだ金をどうして何もしない国が8,000万円もタダでもって行くんだ!それはズルいぞ!
そういわれても日本の国の法律でそうなっているんだからしかたないですよ!
いつもなん万円の税金をはらってる時はもんくいわないくせに…
今回は額がね…
知らなかった…そんなひどい国だったのか…この国は…
わな
わな
どこの国も税金は同じなのか?
日本とイギリスが一番高いんじゃないですかアメリカは最高税率が50%《パーセント》ですから
よし!きめた わしはアメリカに亡命する!!
えっ
ダッ
こんな税金の高い非人道的な国に住めるか!
アメリカににげてもだめですよ!国籍が日本にある以上税率は変わりませんよ
わしは今日から日本人やめた台東区《たいとうく》役所《やくしょ》へ行って戸籍を抹消してくる!!
そんなことはできませんよ!

思いだした わしのおやじは イタリア人 だったんだ！
したがって わしはハーフ だから 国籍は 日本じゃない！ そうなんだ！
胴長 短足 ひとえまぶた どこから見ても 100%《パーセント》日本人だよ お前は！
部長!! たすけて くださいよ〜〜〜〜っ!!
どうにもならん！ 税金をはらうのは 国民の義務 だからな！
そんな せっしょうな！ 1億円あるのに 8,000万円も国に とられるなんて あんまりだ〜!!
ひどすぎる〜〜っ
ふだんから お前 「税金は 金持ちから どんどんとりゃ いいんだ」と いってたろ！
いや！ あれは その…
私は昨日まで ごくポピュラーな びんぼう人だったで しょうが… それが作品が 売れて 急に大金が 入っただけ！
・・・ 一時的に 金持ちに なっただけ ですよ
そこをご理解して いただいてですね 今回の税金は ご祝儀として パスということに…
ズル
ズル
わしは 税務署《ぜいむしょ》じゃ ない わしに たのんでも ムダだ！

ンおぉぉぉぉ
ひどいよ〜〜〜っ 8,000万円もとるなんて ひどすぎる〜〜 また びんぼう人に 逆もどりじゃ ないか〜〜っ!!
わしは国に悪い事を 何ひとつしてないのに〜〜 なんで こんなしうちに あうんだよ〜〜!!
ぐおおお
びぇえええ
こんなに泣いたの初めてだ…
そうとうショックのようですね
うわっ
じょうだんじゃねえべらぼうめ!
税金なんかだれがはらうか!
だれがなんと いおうと これは わしが ひとりで かせいだ お金だ!
ぜったいに わたさないぞ わしの金 なんだからな!!
ひらきなおったわ
ひらきなおると 先輩は 強いぞ!!

部長ほとぼりがさめるまで私はしばらく旅にでます
どうしようというんだ！
しばらく身をかくして税務署がわすれたころもどってきますよ
わすれるはずないだろこのバカ
みんなが協力してだまっててくれりゃわからんだろ
一億円はらった人が申告しますよ先輩の口座にもちゃんと収入として明記されてます
来年の3月15日までにそのお金を申告しないと大変よ！
どうなるんだ？
4月ごろに一億円に対しての税額がきまるのよ やはり8,000万円ぐらいになると思うけど… その8,000万円の税金を期限までにおさめないと今度は延滞金がつくわよ
なんだ・・・エンタイ金て？お金もらえるのか？
逆ですよ税金をおさめないと利子としてとられるんです
8,000万円に対してだから延滞金の額もハンパじゃありませんよ 利子がどんどんふえていきますよ
すごい高金利なのよ税務署の延滞金は！

申告しないと
無申告加算税《むしんこくかさんぜい》が
10%《パーセント》加算されます
一億円の10%《パーセント》だから
一千万円も多くとられるんですよ
さらに無視すると今度は重加算税《じゅうかさんぜい》が35%《パーセント》ついて一億円全部もっていかれちゃうわよ!
それでもはらわずに悪質な場合は脱税で告発され犯罪者として逮捕されることもあります!
お金を全部とられた上に牢獄へ入れられてしまうのよ!
ひどい!!ひどい!!ひどい!!!
部長〜〜〜!!
私はどうすればいいんですか〜〜!!!
ちゃんと税金をおさめて残った2,000万円で千葉《ちば》に家を買うんだ!
やだあ! 一億円全部使いたいよ〜 税金はらうのやだあ〜!!
やはり金をもってにげ切ってやるぞ!!
あ! 先輩!!
ダッ

にげ切れるはずないのに…
税金はらうのをケチしてけっきょく全額もっていかれるだろうな！
一か月後
秋の交通安全
先輩ホンコンあたりへ高とびしたのかなあ…
一億円かかえて公園などで毎日ねとまりしてるんじゃないかしら？
毎日のおつとめごくろう様です
カシャーン
あっ!!

どうしたんです 先輩 そのかっこうは!?
どうしちゃったの?
私は生まれ変わったのです
今の私は楽楽教《らくらくきょう》の教祖ゴンザレス・楽太郎《らくたろう》です!
一億円を機に宗教法人《しゅうきょうほうじん》「楽楽教」を設立いたしました
こうして全国を回り「世の中楽に生きよう」を合言葉に布教活動をしてます
何が楽楽教だ
「宗教法人」は非課税だとだれかに入れぢえされたんですよ きっと
一億円がおふせという形をとれば税金はかからないからな
おだまりなさい!
逃避行の間いろいろ考えたのです 税金がどうのこうのなど実に俗な考え! おろかです
わが楽楽教は「今がたのしければそれでいい」というすばらしい教えなのです!
みな様には 私は一億円いただく以前より「楽楽教」の教祖だったと税務署員がきた時に証言をしていただきたい
そこまでして税金をはらいたくないのか!? お前

納税は国民の義務です はらうのは当然!! しかし 私の所は 宗教法人なので はらう 義務はないのです! 実にざんねん!
この道に 入ってから お金などという 俗なことなど 口にするのも けがらわしい!
全然お金に 関心は ないのだな
もちろんで ございます
わおっ 一万円!!
いやぁ あの お金が 落ちましたよ! はい!
お金を 大切に しないと バチが当たり ますから…
バチが 当たるのは お前のほうだ! そんなかっこうして 今に天誅《てんちゅう》が 下るぞ!
頭までそったりして… ムダな抵抗だと 思うけどね…

★週刊少年ジャンプ1988年49号

体力株式《かぶしき》会社の巻《まき》
Robot Box
ROBOT POLICE
亀有公園前派出所
両津勘吉《かんきち》
体力株式会社ってなんですか?
ワシの体を売って商売するんだ!
ようするに体力を売るわけだ!くわしくはカタログを見ろ!
えっ体を!
はいはい!今週の日曜早朝野球の助っ人!
江戸川《えどがわ》グラウンド朝7時!わかった!

なるほど ピンチヒッター などを ひきうけるのか… けっこう高いな…
ワシが出場した試合は「ぜったいに勝つ」と言うのが会社の条件だ!
両津勘吉 プロピンチヒッター
負けたら半額しか受けとらん! けっして高くない!
うーむ… 先輩の体力には絶大の信頼があるからな… 依頼も多いはずだ…
見ろ これを!
このきたえられたしなやかな肉体 超人的な体力&《アンド》瞬発力!
男は自分の肉体を駆使して金を かせぐのが本道!! 楽してかせごうなんてのはゲスな奴だ!
もう10日以上着てるんじゃないの? そのシャツ
ちがう! 中身だボディー!
何せ体力はありあまってるからな! 元手はタダみたいなモンよ!
先輩の場合それは言えますね!
仕事始めてわずか10日で22万円になった
えっ!! そんなに!?

そう言えばスケジュールもぎっしりだ! よく体力がつづきますね!
だてに体力株式会社と名乗ってない!
一日野球二試合はザラですね
こんなモン屁のカッパだ
あっ これは!!
野球だけでも7試合で その上 柔道 ラグビー 水泳 そして引っ越し… ムチャですよ
多少ムリがあるが不可能ではないスケジュールだ!
朝
昼
夜
野球 5,000円
食事
本庁のラグビー
署の柔道大会(タダ)
引っこし手伝い 7000円
町会水泳大会 5000円
大会 5000円
マラソン大会 7,000円
この商売キャンセルしては信用にかかわる! だから原則として仕事はすべてひきうける!
この日一日で5万2千円になるからな 大きいぞ!
ほぼ同時刻に大会に三つも出場するなんてムリだと思うけど…
お金のためなら体どうなってもいいのよ! この人の場合は!
—当日 午前5時—

どりゃあ
ストライク!!
つい クセで 速球を 投げて しまった
おっと いかん! いかん!
商店街
今日は あと 6試合もあるから 体力をセーブせんとな!
しまった
わざと打たせて フライに させる! 合理的かつ 時間の短縮だ
チェンジ!!
よし!! 次は 攻撃だ!!
一気に カタを つけるぞ!!

でい！
やったあ いきなり 4点 先取!!
この試合 30分で 終了させ るぞ！
テンポよく 勝たないと 午前中で 4試合 こなせん からな
ー柔道《じゅうどう》大会会場ー
交通安全週間
柔道大会
それでは 第一戦を 始めます
両津は どこだ もう試合が 始まるぞ
12時までに 来ると 言ってたん ですが…

おそくなってすまん！
ガラッ
あっ先輩！
第4試合に元プロ野球選手が3人も入っていたんだ！ちょっと時間がかかってしまった！
はやく着がえてください一番はじめですから！
それで早朝からの4試合とも勝ったの？
当然だろ負けたら料金が半分になってしまうからな！
こんなタダの試合なんか本当は出たかないんだ！体力を消耗するだけ損だ
そんなこと言わないではやく！
第一戦
葛飾署《かつしかしょ》両津くん
青砥署《あおとしょ》山田《やまだ》くん！
金にならん勝負などはやい所おわらせよう！

はじめ!
ぐわ
ガッ
うわっ!!
一本!!
ビュ!!
ズダッ
は…はやい…
オオ!
ザワ ザワ ザワ
1秒できまってしまった…
20分後また来る!
ガヤ ガヤ
は…はい!
区民温水プール
町会対抗水泳大会会場

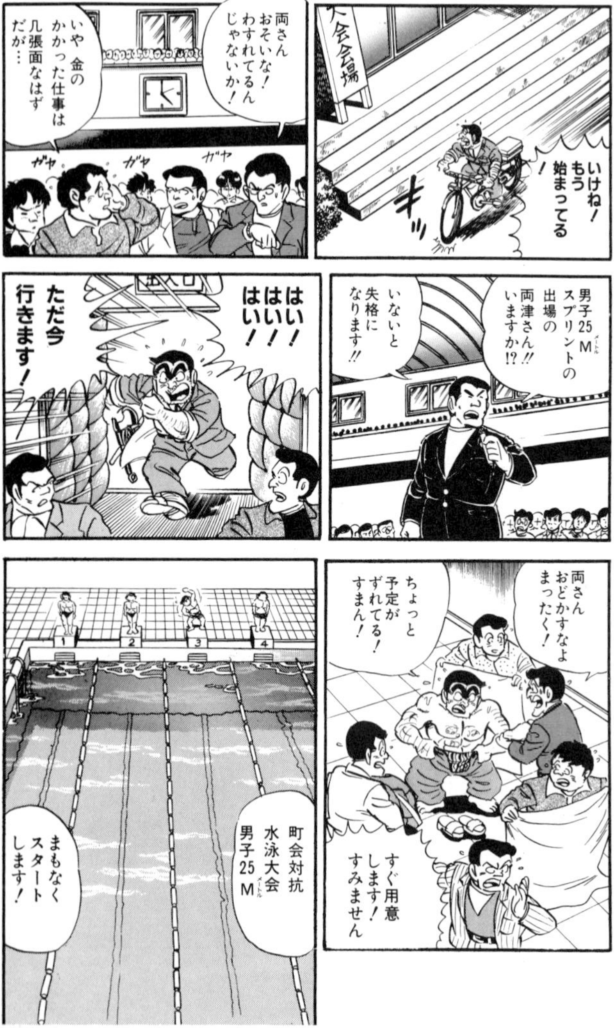
大会会場
キッ
いけね！もう始まってる！
両さんおそいな！わすれてるんじゃないか！
いや 金のかかった仕事は几帳面なはずだが…
ガヤ
ガヤ
ガヤ
男子25M《メートル》スプリントの出場の両津さん!!いますか!?
いないと失格になります!!
はい！はい！！はい！！
ただ今行きます！
両さんおどかすなよまったく！
ちょっと予定がずれてる！すまん！
すぐ用意します！すみません
町会対抗水泳大会男子25M《メートル》
まもなくスタートします！

パン
バシャ
バシャ
バシャ
うおおおおおおお
ザザザザザザ
バ
ザザ
オオ
ザワ ザワ ザワ
他者を寄せつけない圧倒的な強さ!!すごい!!
次の男子50M《メートル》は1時からだったな!
そうだが…どこか行くのかい?
出入口
ちょいと今日はたてこんでいてな!
1時にかならず来る!

両津まだ来ないのか？
ぜったい来ると言ってたんですがね…
悪いおまたせ！
おっ！来たか!!
はやく着がえろ！もうキックオフだぞ！
はじめ!!
うおお!!
うおっ
両津!!いくぞ!!

よし!
まかせろ
通すな!
おう!
じゃまだ
どけ!!
ぐわっ
うぉおおお
トラーイ!!

さすが 人間起重機《きじゅうき》の 両津!! やったあ!
ピンチヒッターでなく ぜひ わがラグビーチームに 入ってもらいたい! たよりになる奴だ!
いててて て!
ケガ したのか? 両津
なあに 大丈夫だ
ムリは いかん! 大切な助っ人 だからな 少しベンチで 休んでろ!
選手負傷の ため 一時 選手交代 します!
これで しばらく 時間が とれる!
あのチームは 強いから 所どころ顔出せば 勝つだろ!
はやく荷物 はこべ!! こら!!
1時間で 引っ越しを おわらすんだ!

そんな少しずつはこんでたら夕方になっちまうぞ!!
このくらい一気にはこべ!!
引っ越しに両さんが来てくれてたすかるよ
ほんとたよりになるわね
恒例
柔道大会
葛飾署の両津くん!
両津くん!
ガヤ
ガヤ
なに ラグビーと水泳のかけ持ちだと!!
おまけに2時から引っ越しを手つだって…
あっ来た!
道路が混んでいておくれた!
はあ
はあ

相手が 待っているからその上から着ろ!
そ…そのほうが…合理的でいい!
ぜい
ぜい
男子50 M《メートル》スタートです
しまった!スタートしちまう!
まて まて!ここに出場する選手が ひとりいるぞ!!
さすがの両ちゃんもつかれが見えてきたわ
アイアンマンレースのほうがまだ楽な気がするよ!
位置についてよーい…
パン!
ワァァ
バシャ
ダッ
えーい!このまま出場だ!
ズザザザザザザ
とつぜん後続よりスタートの両津選手すごい追いあげ!

人間とは思えません!
すごいはやさ!!
ゴールイン!!
なんとトップです!
大丈夫かい両さん!
服のおかげで倍つかれた…
ぜい
ぜい
ぜい
ぜい
ぜい
よし!!充電完了!!
4時の200M《メートル》にまた来る!!
パッ
悪い悪い!ちょっと便所へ行ってたんだ
おう!両津!!
移動の自転車でもかなり体力を消耗するな!
計算外のエネルギーロスだ!!くそ!
ぜい
ぜい
ぜい
ぜい
シャカ
シャカシャカ

どうしたんだ！びっしょりになるほどアセをかいて!? 大丈夫か!?
熱でもあるのか？
心配いらん!! たいしたことない！
柔道大会
大丈夫ですか先輩 顔色悪いですよ！
ほんのちょっぴりスケジュールにムリがあったんじゃないかな…という気がしてきた
はぁ
はぁ
優勝決定戦！ 両津くんと下山《しもやま》くん！
げっ
はじめ!!
よりによってこんな奴と対戦するとはちくしょう！
うおっ
ガ
まだ水泳がのこってるから体力をのこしておかんと…

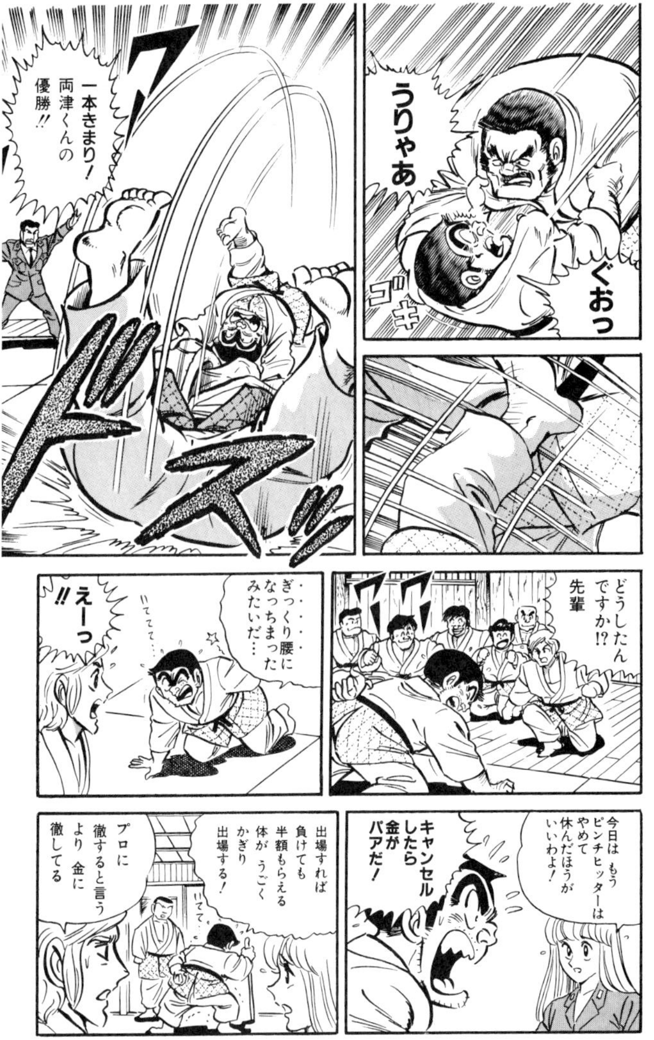

うりゃあ
ぐおっ
ゴキ
一本きまり！
両津くんの
優勝!!
どうしたんですか!?
先輩
・・・・・ぎっくり腰になっちまったみたいだ…
いててて…
えーっ!!
今日は もう
ピンチヒッターは
やめて
休んだほうが
いいわよ！
キャンセルしたら
金が
パアだ！
出場すれば
負けても
半額もらえる
体が うごく
かぎり
出場する！
いてて…
プロに
徹すると言う
より 金に
徹してる

ワ
ワ
ワ
200M《メートル》両津選手一位!!
亀有町会《かめありちょうかい》の優勝です!
ワ
やったあ優勝だ!
両さんよくやった!
あっ
両さんがしずんでる!!
はやくたすけろ!
プク
プク
両さん大丈夫か!?
ゴボ
ゴボ
腰をさわるんじゃない…
ものすごくいたくなってきた!
食事の用意がしてあるからむこうで休んでいきなよ
ダメだ! このあとすぐナイター野球が3試合あるんだよ!
よわいチームだからピッチャーのワシが行かないと負けてしまうんだ!
じゃあまたピンチヒッターの仕事があったらよんでくれ!
いててて
本人のピンチヒッターが必要なんじゃないか…

★週刊少年ジャンプ1988年22号

ビデオ狂騒《きょうそう》!の巻《まき》

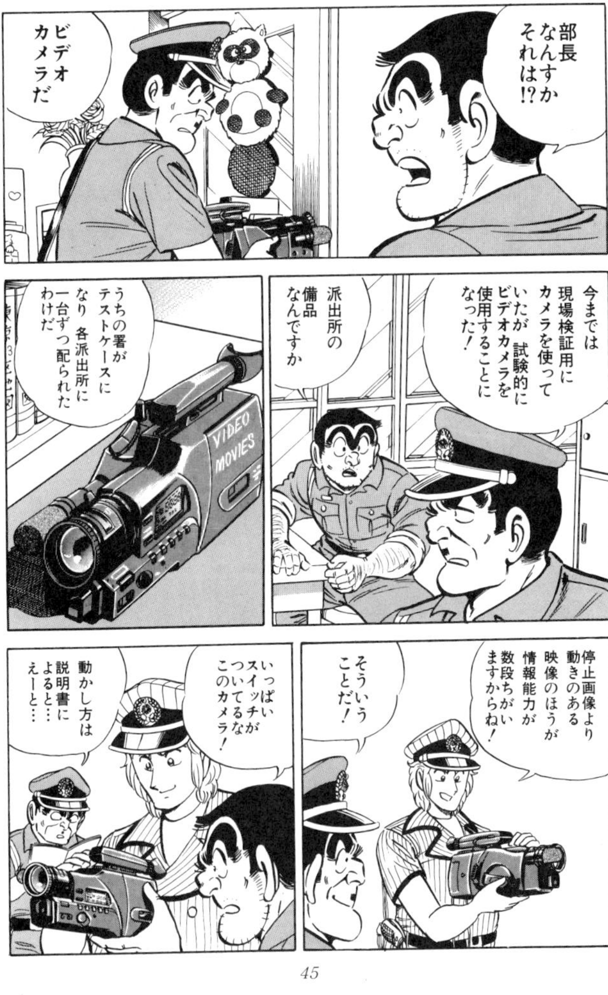
部長
なんすか
それは!?
ビデオ
カメラだ
今までは
現場検証用に
カメラを使って
いたが 試験的に
ビデオカメラを
使用することに
なった!
派出所の
備品
なんですか
うちの署が
テストケースに
なり 各派出所に
一台ずつ配られた
わけだ
VIDEO MOVIES
停止画像より
動きのある
映像のほうが
情報能力が
数段ちがい
ますからね!
そういう
ことだ!
いっぱい
スイッチが
ついてるな
このカメラ!
動かし方は
説明書に
よると…
えーと…

このボタンを押すだけで撮影できますよ!
そんなにカンタンなのか!
VIDEO MOVIES
AF《オートフォーカス》カメラといっしょです高度のテクニックも使えますが基本的にはフルオートでも写せるというわけです
なるへそ!
このビデオカメラは部長のようなメカ音痴を対象にしたわけだ
なんだと!
私のラジカセにテープを逆に入れてこわしたでしょうが!
いや!あの時はすまなかった!
リモコンのスイッチと電卓をまちがえて「テレビのチャンネルが変わらん」と電気屋にどなりに行ったでしょ!
どうしてそれを!
ドキッ
ビデオの録画予約のセットができますか?え!?
うっ!そそれは…
われわれの世代はビデオやパソコンなど自由自在にあやつれますが
部長の世代はムリ!スイッチが5個以上あるとパニックになります!

だから これは「部長でも写せます！」という すばらしいカメラなのです
よくわかりましたね
ジリリリリ
このようにもってては写せませんからね！注意してくださいね！
部長さん本署から電話です
うむ！
なに！ビデオ報告会をおこなう!?
そうか！うむわかった！
来週 各派出所のビデオの報告会があるそうだ！
派出所をリポートするわけですか？
チン
日常からビデオカメラになじんでおこうという企画だ！
じゃあ私がカメラマンをやりましょう！

だめだ! お前は乱暴だからビデオをこわすおそれがある!!
ひどい! それは偏見だ!
カメラマンは中川にやってもらおう!
ずるい!! かってにきめるなんて!!
傲慢《ごうまん》なやり口だ!
職権乱用だ!! 権力をカサにずるい!
政治家よりひど…うぷ
わかった! わかった!
じゃあこうしよう! 3人で10分間自由に写すそこで一番上手な者をカメラマンにしよう
よろしい! それが公平というものです
審査員として戸塚《とつか》や寺井《てらい》に入ってもらう! いいな!
もちろん!
わしの芸術的才能をためすチャンスだ

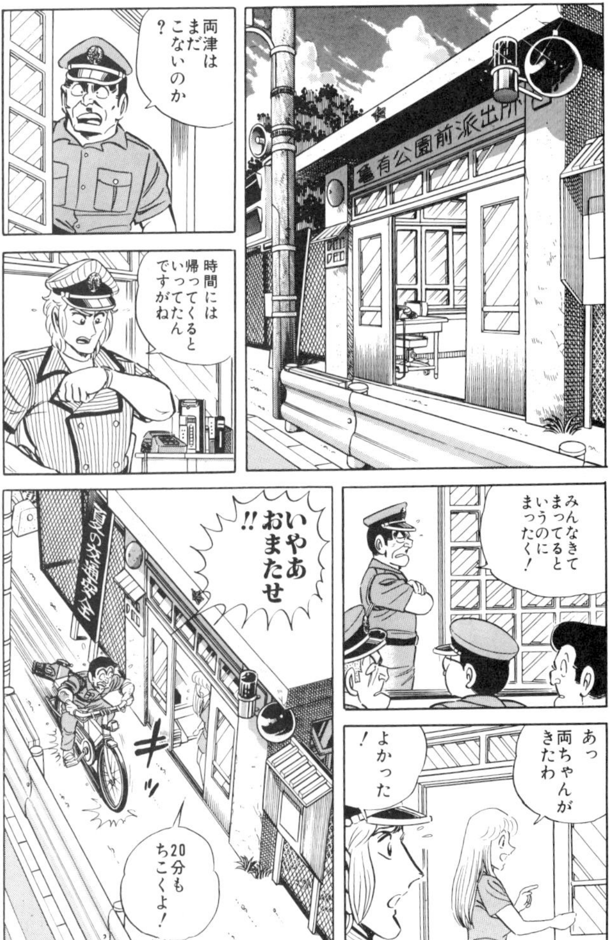

亀有公園前派出所
両津はまだこないのか?
時間には帰ってくるといってたんですがね
みんなきてまってるというのにまったく!
あっ両ちゃんがきたわ
よかった!
いやあおまたせ!!
キッ
20分もちこくよ!

どうも どうも! おそくなりまして! 今さっきまで撮影してたもので!
たった10分写すのに3日もかけるんじゃない!
芸術とは10分でも全力をそそぐものです…
さっそく3本を見くらべる
まずは中川の作品から
みんなの意見できめるからな!
もちろんです!
おっ
中川のはフェラーリマークからスタートか

おっといきなり!
首都高速のトンネルだ!
トンネルをぬけると都会の夜景か!
まあ!すごくきれい!
車の助手席にカメラを固定したまま高速道路を走ってるだけなんです!
ビルやネオンの光が幻想的ですばらしい
スピード感もあり見ていて気持ちいい
BGM《ビージーエム》がフェラーリサウンドというのもおしゃれね
さすが中川!都会的センスが光るな
はい議長異議あり!

この作品は反則です！フェラーリだからこそできうる金持ちのおごりです
走っても止まっても絵になる外車だからサマになるずるい方法です！
スバル360にカメラをつみこんでこれだけのインパクトがあるでしょうか!?
スバパンという空冷エンジンのやかましさでとても見られません
財力のない私が同じ企画で自転車にカメラをつんで首都高速を走ったらどうでしょう!?
絵になるどころかほとんど道路公団へのいやがらせです！
よって金に物をいわせた中川のこの作品は…
失格!!
中川め 部長たちに実弾《かね》ばらまいたんじゃねえのか！くそ！
正当な意見を貧・乏・人・のひがみにされちまった！
まあまあ
次は麗子《れいこ》くんの作品だ
金持ちがどうのというより彼の構成力がすばらしいと思うけど…
その通りだ！

えっ外国で撮影してきたのか?
赤坂《あかさか》の迎賓館《げいひんかん》です
そういえばそうか!きれいにとれてるな!
ここは?
神田《かんだ》のニコライ堂《どう》です
東京《とうきょう》にある欧風建築《おうふうけんちく》を集めてみたんです
BGM《ビージーエム》のクラシック音楽と調和して実に上品だ!
まるで名曲アルバムのようですね
議長!! 異議あり!!
また始まった!
これもまやかしです!日本人の舶来《はくらい》コンプレックスを利用したゲスな作品です!
伝統のありそうな外国の建物とクラシックをただくっつけただけです!

日本人なら日本人らしく民謡や盆おどりの唄をBGM《ビージーエム》に流すべきです
外国文化なんかクソくらえ! ここは日本じゃないですか!!
それならズボンをぬいで和服を着たらどうだ?
先輩はハンバーグとカレーが大好物じゃなかったんですか?
ドキッ
ハンバーグやカレーは日本調にアレンジされ本家とかけはなれてもはや日本の食べ物と化しているでしょう!
洋服も日本人むきに胴長短足《どうながたんそく》なで肩で寸丈《すんたけ》すべて小さく外人じゃ着られんほど日本風土《にほんふうど》に調和し もはや日本の服です!
ペラペラ
電気製品もすべて外国から入ってきた物ばかりですよ
お前だけ自転車に乗らず明日から籠《かご》で出勤してこい!
わかったよわしの負け! 負けたよ!
勝つとか負けるとかの問題じゃないですよ
じゃあ最後に両津の作品だ
やった!
みなさん私の作品のテーマは「日本の美」です! よくごらんになってください!
中川や麗子のようなうわっつらだけえがいたうすっぺらな作品とはわけがちがいますから!

やかましい！そこに立つと見えんだろ！
あっ そうか
なっ…
なんだこれは⁉
カメラがだんだん引くとわかりますよ
ほら！
上野《うえの》の西郷《さいごう》さんのハナのアップから始まるというすばらしいアイデアです！
どこがすばらしいんだ！
次は西郷さんのつれている犬のハナのアップです
もういい！
おや⁉これは⁇
わからん⁉
ほら カメラがだんだんロングになってきた…実は隅田川《すみだがわ》のアップだったんですね！
まるでクイズだな
ゴミがういていてきたない！

うお
何だ!?
グルグル
画面が回ってる!!
これは浅草松屋《あさくさまつや》の屋上から360°のパノラマをえがいてるんですよ
目が回ってきた!
わかったもういい!
まだ半分も見てないすよ!
ズームなど使いすぎですよアップやロングのくりかえしで見ていてつかれますよ!
せっかくついてる多彩な機能を使わないともったいないじゃないすか!!
文字合成《ごうせい》まで入ってメチャクチャ!
気分が悪くなってきた…
いいからもう止めろ!
どこが日本の美だ!
なんだこれは!
ありゃ??
しまったスイッチ入れっぱなしでもちあるいたんだ!
画面がゆれて気持ち悪い!
ユラユラ
いいかげんに止めんか!
あっ!!

途中で止めたら評価できないでしょう!!
もうすでに評価がでている
両津のはどうだった
見てて気持ち悪くなった
頭がいたくなった!
きたない!
どうだよくわかったろ
お前のバカぶりが画面のあらゆる所にでている!
中川たちのは?
気持ちをさわやかにするよ
もう一度見たいな
きまった中川がカメラマンだ!
いいんですかぼくがやって!
パチパチ
パチパチ
ようしわかった上等だ!
今に天罰が下るからな

10番!!
はい OKです 部長!
これで 終わりだな
全部通して 見てみますか?
いや てれくさいから 発表会で 見るよ!
わしが 出演とは てれるな
おっ 本田《ほんだ》 うまく いったな!
いいんですか? カメラ もって きちゃって!
ドキ ドキ
いいんだよ わしだと 警戒される からな
部長め わしの 作品を きたないと ぬかして くれたな
全部 まきもどして やる!
キュルルル

このあたりに落ちて…
あった!!
犬のクソを画面いっぱいに写す!
ジー
気持ち悪い!
クソを分解し細部までリアルに!
ジーッ
きゃあ!
W・C
まだまだこれからだ
ダッ!!
タンつぼの中をじっくりと写す! いっぱい入っとるぞ
はきけがしてきた もうだめだ!
ここでズームアップ! このねばりがいい!
おえっ!!
本田!! でかした どけ!
ゲー
はきたてのゆげのたってるゲロのアップ! うーむ! ソバが入ってる
よけい気持ち悪い!

どんじりは
みずからの
物を!
ポコチンの
クローズ
アップ!
大迫力だ!
うわっ
きたない
!
エンディングは
ケツの穴の
アップ!
うぬっ!!
実に
すばらしい
作品に
なった!
とても
見る気に
なりません
よ!
元あった所に
ちゃんと
返してこい!
はは
はい

バイク事故多し
注意!!
警視庁
視聴覚室
15番目は
公園前《こうえんまえ》
派出所《はしゅつじょ》の
作品です
ビデオ報告会
自信作ですよ!これは!
公園前にはプロ並のカメラマンがいるらしいですね
月例勉強会
勤務ぶりがよくわかっていい企画だ
うちの署でもやりたいな
いやあ各署長に見ていただけるとは光栄です
ザヤ
ザヤ
まずは私のアップからです
げっ!!
こ これは!!

どうです部長！上品な・おクソのアップですよ
う———む ゴージャス！ファンタスティック！
ガタ
ガタ
うわ
うげーっ
気味悪い はやく止めろ!!
両津のしわざか！
両津のバカはどこだ！
あのバカどこへかくれた!!
「長い旅へでる」とさきほどでて行きましたが……

★週刊少年ジャンプ1988年42号

両《りょう》さんの
自己管理《セルフコントロール》!?の巻《まき》
C3PO

亀有公園前派出所
警察官募集
中川 金かしてくれよ
先週給料日だったでしょう?
浅草キッド
え!?
あっという間になくなったんだよ!

さっき
麗子さんにかりたんじゃなかったんですか?
あのケチ女かさねえんだよ
どうせ お金をかしても計画性がないから焼け石に水!
…なんてことをいうんだぞ! ひどいだろ!?
ぼくもその通りだと思いますよ
おまえまで麗子の味方をするのかよ!
本当に無計画に使うじゃないですか
ギャンブルは計画の中に入ってんだよ
借金してまでやる必要はないでしょう
うごき出したら止まらないんだ
これは男の性《さが》だ!
わかっているならやめるべきですよ
わかっちゃいるけどやめられないんだよ!
植木等《うえきひとし》の唄にもあるだろ!
自分で自分を止められないからいつも苦労してるんだよ

この機会に自己管理《セルフコントロール》してください
きさま! いつから先輩に説教たれる身分になったんだよ!!
上司から物をたのまれたら答は「YES《イエス》」しかないんだぞ!
男どうしこまってる時は相身互《あいみたが》い! 理由《わけ》を聞かずポンと金をかすのが男の世界だろ
先輩は一年中こまっているじゃないですか!
だからこそ君たちの援助が必要なんじゃないか!
なあたのむよ5万円!
何やってるんだ両津!!
あっ部長!!
いや その…中川と イラン・イラク問題について話し合ってたんですよ!
本当です!

0・1秒で見やぶれるウソをつくんじゃない！
どうせロクでもない話をしてたんだろ!!
おまえ今日 署に金をかりにきたろ！
げっ!! どうしてそれを!!
片っぱしから「金かしてくれ」と署員にたのんでいたそうだな！
部長!! それは誤解です!!
「金かして!!」というのは「元気かい!?」という軽い感じのニュアンスで声をかけただけです！
ヤングのあいさつの言葉なんですよ！
署にきた一般市民にまで声をかけただろ!! おまえは!!
あとから署に苦情がきたんだぞ！ おまえのおかげで!!
す すいません つい…
しかし 薄情なもので 一円もかしてくれませんでしたよ！ 下町も人情がありませんね
当たりまえだ だれがおまえなどに金をかすか!!

先週もらった給料はどうしたんだ!?
気がついたらすでにないんです! どこへ消えたやら…
おまえは使い方に問題がある
ふつうですよ ちゃんと物とひきかえにお金をわたしますよ どこが変なんですか?
わしがおまえに金をかしてやろう!
えっ
えっ本当ですか!?
部長いいんですか?
無差別にかりまくられるよりましだろ!
来月の給料までにいくら必要なんだ?
いやあ部長が神様のように見えますよ!
スリスリ
じゃえんりょなく10万円ほど…
うむ!
夏カゼに注意!!

10万円だ!
うひょお! やった!!
ただし条件がある!
あら!?
まずこづかい帳をつけることそして毎日日記をつける
今月いっぱいの予定表を作り規則正しい生活を送ること!
わかりましたじゃあ10万円!
さらにもうひとつ!
まだあるんですか?
10万円を返済するまで利子として毎日100円ずつもらうぞ
いいですよそのくらい!
早くください
やった10万円だ!!

部長!!
いいんだ! あいつは 金がなくなると どんな行動に でるか わからん からな!
金をかした ことによって 両津を管理 できる!
数日後
どうも おそく なりまして!!
おそい!! ちゃんと 予定表 通りに行動 せんといかんぞ!

はい 非番の時の予定表をもってきました
その前にやることがあるだろ!
けっこう100円がたまってきましたね
10万円返済するまでつづけるんだ
チャリーン
今までの統計をとると 借金を・・・ふみたおす例が多い
なん年も返済を引きのばし そのままなしくずしにあきらめさせる手だ
そ そうでしたか?
今回は返済がのびるほど100円玉はふえつづけ 1年で36,500円 5年で182,500円になる
えっ そんなに!
おまえのだらしなさが形となって そこにあらわれるわけだ! それを見るたび深く反省し 早く借金を返せ!
うーむ これじゃふみたおせないな…
それからこづかい帳と日記を明日提出しろ!
えっ 今月末じゃないんですか!?

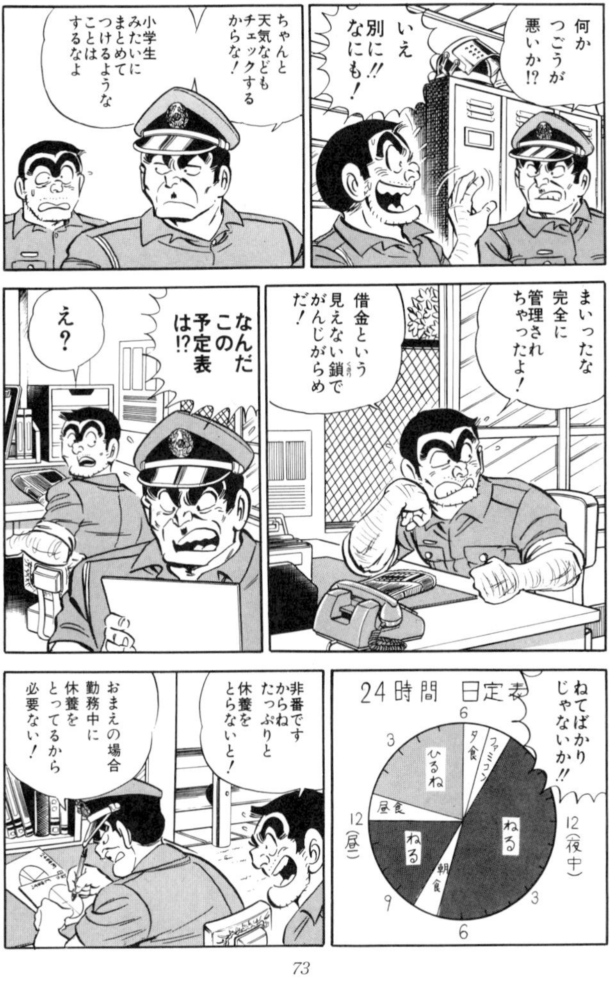
何か
つごうが
悪いか!?
いえ
別に!!
なにも!
ちゃんと
天気なども
チェックする
からな!
小学生
みたいに
まとめて
つけるような
ことは
するなよ
まいったな
完全に
管理され
ちゃったよ!
借金という
見えない鎖《くさり》で
がんじがらめ
だ!
なんだ
この
予定表
は!?
え?
24時間 日定表
6
夕食
ファミコン
3
ひるね
昼食
12
(昼)
ねる
朝食
ねる
12
(夜中)
9
3
6
ねてばかり
じゃないか!!
非番です
からね
たっぷりと
休養を
とらないと!
おまえの場合
勤務中に
休養を
とってるから
必要ない!

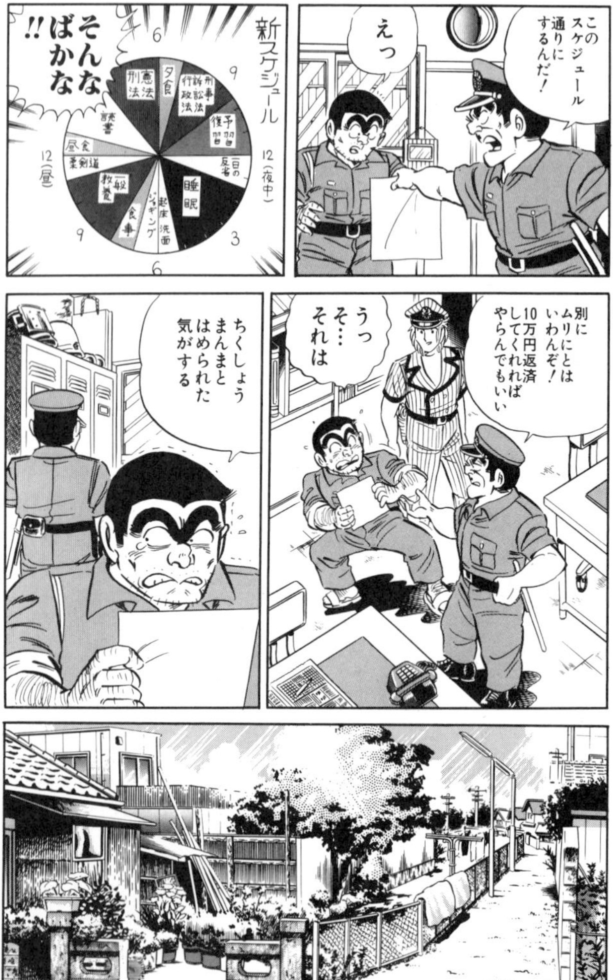
このスケジュール通りにするんだ!
えっ
新スケジュール
12(夜中)
一日の反省
睡眠
3
起床洗面
ジョギング
6
食事
9
一般教養
柔剣道
12(昼)
昼食
読書
刑法
憲法
6
夕食
行政法
刑事訴訟法
9
予習復習
そんなばかな!!
別にムリにとはいわんぞ!
10万円返済してくれればやらんでもいい
うっそ…それは
ちくしょう まんまとはめられた気がする

両津は まだきて ないのか?
夏の交通安全
もうくる はずです けど…
まったく 予定を 守ったことが ないな!
きたら また きつくしかり つけんと…
ポト
ん
なんだ これは!?
給料袋 じゃない ですか?
わしのは ちゃんと もって帰った はずだが?

なに!?
両津の給料袋だ!!
なんですって!
なぜ部長のロッカーに入ってたんです!?
わからん! ちゃんと中身も入ってるぞ
もしかしてそれ3月分じゃないの?
そうだが…
両ちゃんが北海道へ出張に行った時あずかったお給料よ!
あっそうだ!!
わしもうっかりわすれてたがあの両津がわすれるとは…信じられん
ふしぎだな…
そういえば3月ごろ「何か」わすれている気がするといってたわ!
むこうが気づく前に返したほうがいいですね

先輩のことだから思い切り部長をせめると思いますが
鬼の首をとったごとくわめきちらすだろうな…
ドキ
どうもおくれてすみません!
日記とおこづかい帳をもってきました見てください!
そうか!よしよし!見てあげよう!
わかりやすく絵日記にしたんですがダメですかね
すばらしいアイデアだ!!
さすが両津だ!!
絵日記
絵もうまくなったな!漫画家になれるぞおまえ!!
いやあそうですか!!少しは自信があるんです
ポリポリ
ははは

いけね! 100円入れるのわすれていた!
いいよ 両津!! 入れなくて!
もう利子をとるのはやめよう
なるべく早く返してくれればいい!
部長 何かかくしてますか?
いや! 別に何もない!!
長年 部長とつき合ってますけど その態度の急変ぶりは不自然ですよ!
そんなことはない! 全然変わってないぞ!!
今まで両津が物をわすれたりして しかって悪いことをしたなと思ってな!
どうしてです!?
やはり人間物をわすれるということはある!! あって当然だな!
そりゃそうですよ!
そこでだがな…
なんです!

そこで君にこれをわたそう！
サッ
あ!!
ちょっとおそくなってしまったが…悪かったな！
ポンポン
ほんとにすまん！
ぶちょ〜〜っ
ドキ
思い出しましたよ
出張で給料をもらうのわすれたことを…
にか
部長の所でストップしていたとは…
悪かった両津くん!!
こりゃ部長さん一本とられたよ！
ふ〜〜ん
3月はお金がなくて死ぬところでしたよ
本気で銀行へドロボウに入るつもりでした…
私の理性でなんとか止めましたがね
ムリもない1か月分の給料で2か月も食いつないでいたんですから
バンバン
本当に気の毒なことをした！悪かったなうん！

麗子! 3月ごろ わし すごく やせてたろ! なっ!
ゲソー
そう だった かしら…
あのころは 草を食べ 夜露《よつゆ》で飢えを しのいで ました
ユサ ユサ
もう そのへんで かんべんして くれよ!
本当に すまん!
いやあ… 生きてるのが ふしぎな くらいで…
じゃあ かりた ・10万円 ・チャラね!
なんだと!!
一歩 まちがえ れば 横領ですよ 部長!!
たまたま 私は人間が できてるから おだやかに 話し合いを してるん でしょう…
・チャ・ラと いうこと で!
3月は飢えと さむさで 死にかけ ましたよ…
私の給料が まさか部長の ポケットに 入ってたとは… まいった まいった
ポリ ポリ
く…
じゃあ お互い何も なかったと いうことで!
よかった よかった!
思い出し ましたよ! 部長
何を!?
先輩が 給料を 受けとらな かった理由を!

北海道で競馬やって金をかせいできたんですよ
帰った時ポケットに百万円の札束が見えましたからねそうとうもうけたようです
大金を手にして有頂天《うちょうてん》になり給料のことなどすっかりわすれてたんですよ
そういえば北海道から帰ってからニコニコしていたな…
あいつめ出張中にそんなことしてたのか…
両津くん
なんすか部長!? 肩でももんでくれるの?
北海道でお馬ちゃんと遊んでお金もらったんだってね
ぶ部長! あの…10万円…やはり返します
さきほどは失礼な暴言をはいてすみません
いいんだよ! べつに!
わすれちゃった! 利子の100円入れないと!
今日から一日5,000円になったからね!
ご…5,000円かあ…ちょっぴり高いなあ…

ハンカチはどうした!?
ちゃんともってますよ!
ほら!
出してみろ!
グイ
あっ
ハンカチ　ハナガミ全部失格!
減点6点で借金6%《パーセント》増し合計43万5,000円だ!
早く減点をなくさないと借金が100万円になるぞ!
きたねえなぁ〜〜チェックがきびしすぎるよ!
上司に暴言をはきました減点5点ですよ部長!

★週刊少年ジャンプ1988年37号

五輪男《オリンピックボーイ》・日暮《ひぐらし》巡査《じゅんさ》の秘密《ひみつ》！の巻《まき》

秋の交通安全
えっ日暮《ひぐらし》をおこすんですか？
もう4年たった！あいつにやってもらう仕事もだいぶたまってきたからな
オリンピック開会式
笑顔の

そうか
ロサンゼルス
オリンピックから
もう4年目か
はやいなあ
バサ
すっかり
わすれて
ましたね
まだ
生きてるか
どうか
わからんぞ
あいつ！
たしか
日暮の部屋は
一番奥
だったな
う〜む
中が
どうなって
いるのか
不気味だ
日暮
メキ
メキ
メキ
メキ

ぬお!!
なんだこりゃ
とても人間が住んでるとは思えんな
バキ
バキ
あまりに部屋がきたないために動・植物が自然発生しちまったのか…まるで原始時代だな
ズボ
ズボ
バキ
おーい日暮!! 生きていたら返事をしろ!!
ん!? 日暮のパジャマが…?
まさか!!

いた!!
この中だ!!
日暮
しっかり
しろ!!
もう少しで
消化される
ところだ!!
やあ
両さん!
「やあ」じゃ
ねえだろ
食虫植物に
食べられ
やがって!
こんな
部屋にいると
本当に死んじ
まうぞ!
はやく
でよう
ズボ
ズボ
シュルルッ
うっ
なんだ
こりゃ!?
シュル
し
しまった!
動きが
とれん!!
こんな所で
くたばって
たまるか!
ズギューン
この
植物め!!

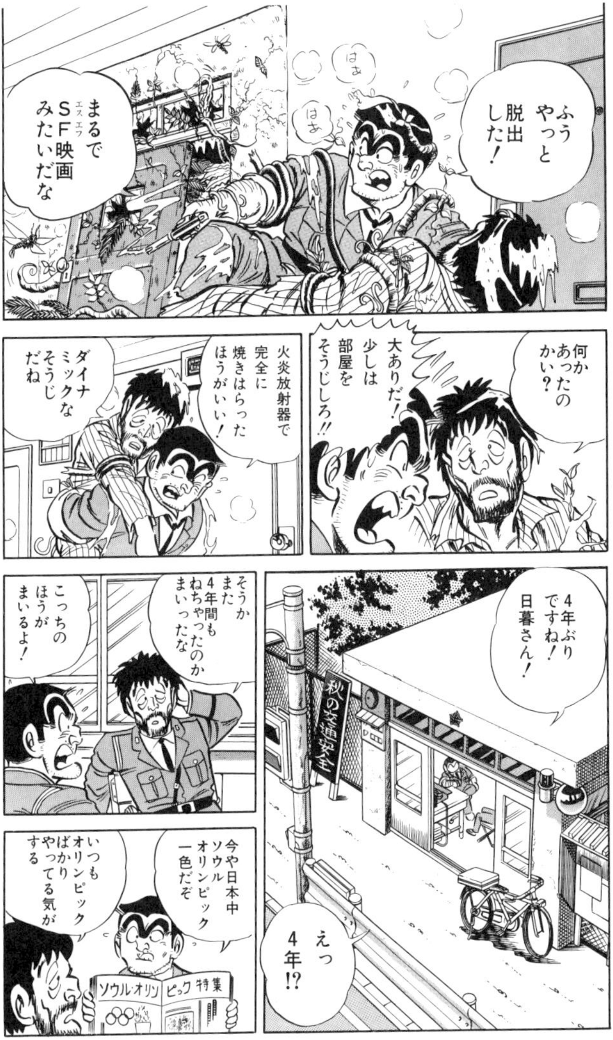

ふう やっと 脱出 した!
はあ
はあ
まるで SF《エスエフ》映画 みたいだな
何か あったの かい?
大ありだ! 少しは 部屋を そうじしろ!!
火炎放射器で 完全に 焼きはらった ほうがいい!
ダイナ ミックな そうじ だね
4年ぶり ですね! 日暮さん!
秋の交通安全
えっ 4年!?
そうか また 4年間も ねちゃったのか まいったな
こっちの ほうが まいるよ!
今や日本中 ソウル オリンピック 一色だぞ
いつも オリンピック ばかり やってる気が する
ソウル・オリンピック特集

ここで日暮巡査を初めて見る方に解説しよう
初めての登場は1980年モスクワオリンピックの年であった
なぜだ? まだ昭和51年の春だろ? もう夏にでもなったのか?
とっくにすぎたよ 今年は55年だ!
信じられん アントニオ猪木とモハメッド・アリ戦もまだみてないのに また4年間もねてしまったのか 不覚だった!
まるで浦島太郎だ
2度目は1984年ロサンゼルスオリンピックの年であった
そうか 夢の中だ!
いたっ 日暮だ!
おまえは4年間寝てたんだよ
えっ!? 今昭和55年じゃないの
ウソだよ 今ザ・ボンチの歌が大ヒットじゃないか!
3度目が今回のソウルオリンピックの年である
1988年
4回目は4年後のバルセロナオリンピックの年です!!
1992
本当に今年は昭和《しょうわ》63年なの? 昭和59年でしょ
本当だよ 新聞を見てみろ!
バサ
ソウルオリンピック
一度だまされたことがあるからね
ズキ!
おきてみると まだ昭和61年なのに ソウルオリンピックが開催されてるとだまされた!
今は昭和63年だぞ! ほら新聞をよく見ろ
本当だ
日本のセコただ今トップ 中村監督も応援しております
あれ?
テレビ壊れてるんだ また今度な
本当に今63年なの!?
そんなことないよ! 日暮がねてる時夢を見たんだよ

テレビでも オリンピック やってるだろ! な!
ソウル オリンピック 特集 MHK
ビデオかも しれない
うたがうなら 街の人に きいて みよう
今は なん年の なん月なん日 ですか?
えっ 昭和63年 9月20日 ですよ
なっ! これで まちがいない だろ
エキストラ かも しれない!
この野郎!! 息の根を 止めて 永遠に ねかせるぞ!
わかったよ 信用するよ!!
そうだ 思いだした! 4年前に 買っといたのが あったんだ
また車か? それとも バイクか?
ちがうよ! ボーナスで 土地買って おいたんだ!
ちょっと 電話かして 売られたら 大変だ!

不動産やってる友だちがいてひと坪80万円で10坪買ったんだ自宅の近くの渋谷の土地を！
10坪ぽっち買ったってしょうがねえだろ！
ぼくだよ日暮熟睡男《ねるお》！父さんいる？ねてる!?母さんは？ねてる!!
じゃあ兄さんでいいや！以前買ったぼくの土地まだ残ってる？
え!? 土地急騰《ふうとう》!? なんなの それ？ 上がった!?
ひと坪500万円になったの！
なに!!
800万円で買った土地が5,000万円になったのか!?
この4年間で土地の値段がいちじるしく変動しましたからね
とにかく売っちゃだめだよ！
兄さ……あれ!? ねちゃったみたいだ…
両さん悪いけどコーラ買ってきてよ
土地高騰《こうとう》で物価高になってコーラ一本1,500円になった！1,500円だぞ！
人様がひたいに汗して働いているというのにずーーっとねていて金もうけをするとはとんでもねえやつだ
くそ！うらやましい…
のどがかわいちゃった！

なんだ！古いお札じゃないか？
えっ!? お札変わったの!?
4年前オリンピックが終了して日暮さんがねたあと11月に発行されたんです
ほんと？使えるかな古いお金で！
けっこう大金をもってるなお前！
給料もらった次の日ねちゃったから使ってないんだ
しょうがねえな！わしが新札ととり替えてやるよ！
たすかるよ15万円あるんだ！
やっぱり両さんて親切だね
まあな
新札ってずいぶん小さくなっちゃったんだね！
省エネ時代すべてがコンパクトになったんだ！
ほら15万円！
山田プラモ店サービス券
10000点
2500点
1000点

1,000点て どういう こと!?
1,000円の まちがい じゃない?
大事なことを わすれてた 新札発行と 同時に 単位も "円"から"点"に 改められた
へえー そうかあ
じゃあ 100点で コーラを 買って こよう
まだ 新札を 知らん者が いるからな 十分 説得しろ!
だめですよ うそ ついちゃ
バカ!! しーっ しーっ
それは サービス券 です! 本物の新札は これです!
どうも 変だと 思った
悪い! 日暮!! ちょっと 勘ちがい してた
どういう 勘ちがい ですか?
今度は ちゃんと はらうよ
はい! 15万円 !

1,500円しか ないですよ! たりない!
そうか! お前 知らな かったのか!?
3年前に 首相が変わって 日本もデノミに なったんだよ
つまり単位が 2個下がり 昔の100円が 現在の1円 100万円が 1万円に なったんだ!
ウソばかり いってないで お金を返して あげましょうよ
あっ!
せっかくの チャンス なのに!
そうか
こんなこと してる 場合じゃない!
部長に たのまれてた 書類を かたづけて もらわないとな
えーーっ そんなに!
ばかもん お前に 予知能力が あるから 4年もねてて クビにならん のだぞ!
捜査の役に 立つから大目に 見てくれてるん だろうが!
でなきゃ 三年寝太郎《さんねんねたろう》 みたいな お前など とっくの昔に クビだ!

まず2年前の行方不明のこの男だ！今どこにいる？
う〜〜んこの男は…う〜〜む
東北《とうほく》の山形《やまがた》にいる市内で働いている姿が見えた！
すぐ県警《けんけい》に連絡しろ!!
次！この男北野《きたの》は!?
うーん広尾《ひろお》のマンションに…
さすが充電してたからすごいね！
次だ明石三郎《あかしさぶろう》!!この男はどこにいる
つかれてねむくなってきちゃった…
つづきはねてからにしましょう
ねるんじゃない！
ねてしまったらつづきは4年後になるだろうが！おきてるうちに全部すまさないとわしが部長におこられる！

一度始めたら最後までやるんだ!
ギュッ
日暮がんばれ
がんばれ日暮!!
中川!薬局へ行ってねむけざましやスタミナドリンク買ってこい!
500本買ってこい!!
日暮は暗くなるとねてしまうんだ!一日中明るい部屋に入れとかないとダメだ
まるで養鶏場《ようけいじょう》みたいでかわいそうよそんなの!
日暮ねむけざましの薬をのめ!どんどんのめ!
いっぺんにのんだらゴチャゴチャになっちゃいますよ
これだけのめばどれかはきくだろう
DRY
スタミナドリ
うげー はき気がしてきた
つづきだこの男明石!
うーむこの男は……
日暮がんばれ
赤坂のホテ…う〜〜む
コクリ
まぶたが重くなる…重く…
日暮がんばれ

ねるな!!
ぎゃーーーっ
目がとじられんようにセロテープで止めてやる!
ひいーーーっ やめてくださいい!!
まだスタミナドリンクがきかんようだな
ドボ
ドボボボ…
ドボ…
体ごとつかれ!
バシャッ
うわっ
ひゃあつめたい!
体のずいまでドリンクづけになるんだ!!
バシャ
バシャ
ねむっちゃいかんと思えば思うほど…
スーとねむりの世界へ…あぁ…あ
ねるんじゃない!
ひいいいいっ
まるで拷問だ!

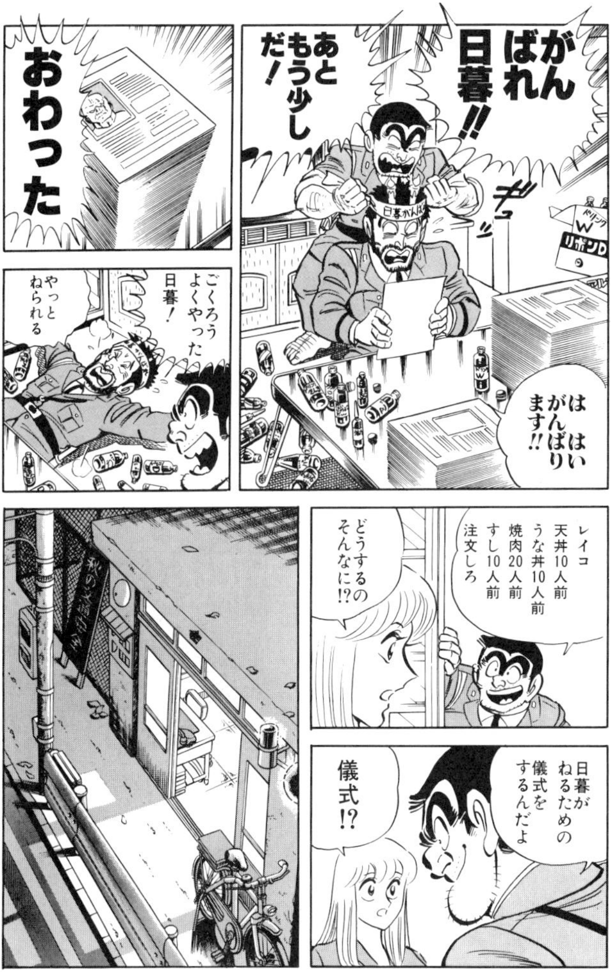
がんばれ日暮!!
あともう少しだ!
ギュ
ドリンク
W
リポンD
はいはいがんばります!!
おわった
ごくろうよくやった日暮!
やっとねられる
レイコ天丼10人前うな丼10人前焼肉20人前すし10人前注文しろ
どうするのそんなに!?
日暮がねるための儀式をするんだよ
儀式!?

すごい食欲ね日暮さん！
これがふつうだ
本当の日暮の姿を見せてやる
ガラッ
卒拝《そつはい》当時の日暮だよ！
うそーっ
元もと脂肪が多くて食いだめ可能な体質だからな 一度思い切り食べると一週間くらいねてられるわけだ今じゃ4年間分食べられるようになった！
熊などが冬眠に入る前のようですね
まるで別人じゃないこんなに太っていたの？信じられない
4年間もねてりゃガリガリになっちまうよ

ゾリ
ゾリ
4年ぶりに ひげそって サッパリした ねむってる間に またのびて しまうけど!
チョキ
頭も 終わったぞ これで 4年もつ
つめも めいっぱい ふかづめ しておこう
あいた
水も もっといっぱい のんでおこう
ゴクゴク
そのほうが いい!
フロに2時間ほど 入ってから 新しいパジャマに 着がえて ぐっすり ねむるよ!
お前の 部屋を そうじ してから ねろよ!
新聞4年分 とっておいてね! いつも話題に ついていけないの つらいから
わかった! ちゃんと とっておく!
日本シリーズ 4年分ビデオに とっておいてよ!
わかった から はやく ねろ!

今度日暮と会うのは1992年だな！
七夕様《たなばたさま》みたいね
4年分の仕事を1日でやってしまうのも彼の才能ね
給料もらっても使う時間ないからな！だから土地買っちゃうんだよ
秋の交通安全
444…
そろそろ明け方ですね
日暮のやつ冬眠に入ってるころだろうな
う〜ん
両さん
ぬ
ぎゃあ！

★週刊少年ジャンプ1988年43号

日暮じゃないか
おどかすな!!
どうしたんだ今ごろ!
両さん大変なことになった
ぜんぜんねむれないんだ!
どうしよう
なに!!
一か月後
秋の交通安全
日暮さん体大丈夫!?
もう30日間もおきつづけているわよ…
だめなんだ!
ぜんぜんねむくならない…
頭がますますさえて能力もどんどん上がってくる
この顔にピンときたら110番
毎回4年も夏休みとってた天罰です
コンビニエンス・ポリスとして24時間働かせましょう!
サイクルが変化して4年おきて1日ねるようになったのかな?
今度は1992年に会いましょう
See you again in Barcelona!
（今度はバルセロナで会いましょうね!）

特《とく》別《べつ》勤《きん》務《む》を命ず！の巻《まき》

番所
亀有公園前派出所
一寸先は二寸
パパパーン
満塁のピンチだ！ガリクソン気合い入れて投げろよ！
9回ウラ
G
P.カリー
防.1.07
N
3.たろすけ
.290本1
あっ!!
FOURBALL
押し出しで1点あげやがった！この大バカ野郎！
せっかくツーアウトまでおいこんだのに……!!

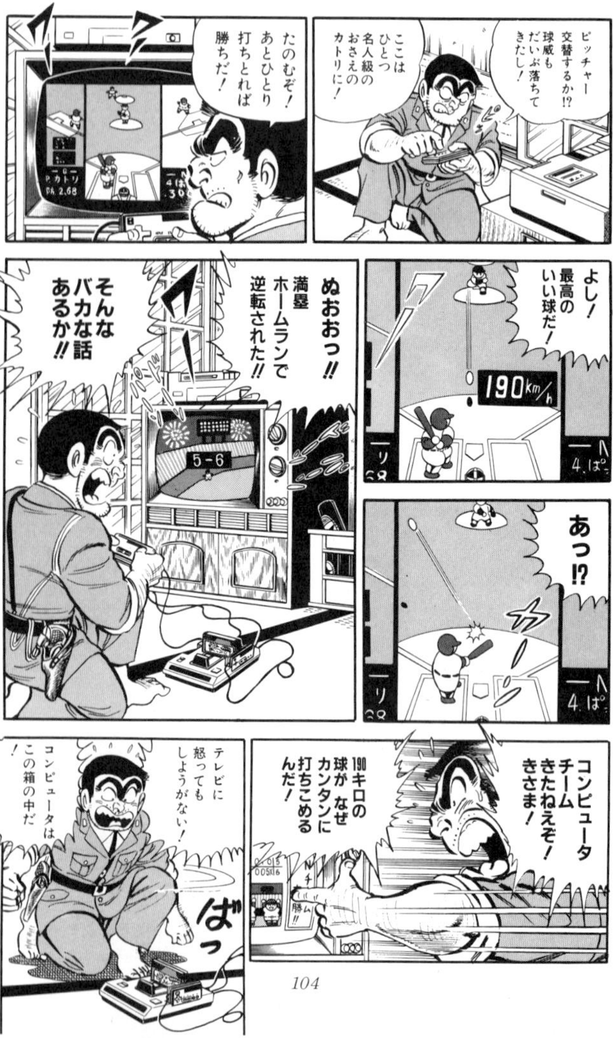
ピッチャー交替するか!? 球威もだいぶ落ちてきたし!
ここはひとつ名人級のおさえのカトリに!
たのむぞ! あとひとり打ちとれば勝ちだ!
P.カトリ
よし! 最高のいい球だ!
190km/h
あっ!?
ぬおおっ!! 満塁ホームランで逆転された!!
そんなバカな話あるか!!
5-6
コンピュータチーム きたねえぞ! きさま!
190キロの球が なぜカンタンに打ちこめるんだ!
テレビに怒ってもしようがない!
コンピュータはこの箱の中だ!
ばっ

きさま‼ ずるいぞ! 味方ばかり有利にするな‼
八回表からいつも急に強くなりやがって! きたねえぞ!
おまえのような奴は!
こうしてくれる‼
カッ
あいた‼
てめえ…
暴力をふるいやがったな
ゆるさん!
見たか人間様の力をむふふ…
集積《しゅうせき》回路ごときにこの私が負けてたまるか!

どうしたんです? 大きな音をたてて!
野球ゲームのカセットがひきょうな手を使うので反省させてる所だ!
そのカセット徹夜してやっと手に入れたと言ってたのに…
あっ そうだった!
しまった! 怒りでついわすれていた!
なんてことをしてしまったんだ!?
ケースがこわれただけだ セロテープでくっつければなんとか使える
よかった
まったく
ひろしくんたちが来てますよ
そうか! 今日は土曜だ!
約束どおり来たな!
はい 新聞!
ごくろう! 予想するからちょっと待ってろ!!
はやくしてよ 遊び時間なくなるから…

決断がはやいからすぐおわるよ！
えーと…まず第一レースはと…
バサ
競馬ですか？
おう！駅前に場外馬券売り場ができたんだ！
こりゃ便利だと思って買いに行ってたんだが近所の連中がジロジロ見やがってよ！
このあいだなんか写真撮られちまってな！ついに行けなくなってしまった
この子たちに買わせる気ですか？
当たり！そのかわりお駄賃やるからな！
ひどいわね！子どもたちにそんなことさせるなんて！
うるさいな！予想してる時ゴチャゴチャ言うな！生活かかってるんだぞ！
ギャンブルに子どもをまきこむのはよくないわ！
なんだとギャンブルのどこが悪い！
入試 就職 結婚 みんなギャンブルみたいなもんだろ！
人生すべて博打《ばくち》だぞ！

そう思って無計画に生きてるのは両ちゃんだけよ
みんなはギャンブルと思ってませんよ
キミたち帰りなさい このおじさんとつきあうとロクな人間にならないわよ
あっ!!
麗子! よけいなことするな! 馬券買えなくなるだろ!
きゃあ!!
こら! 両津!!
あっ!? 部長!!
先週場外馬券売り場に行っていたろ!
ど…どうしてそれを!?
これを見ろ!
天皇賞フィーバー★
熱狂する競馬ブーム、勝った人、負
馬券売り場
▲場外馬券売場の例
▼ゴール

あっ!!
これは!?
先輩の
よく行く
馬券売り場
ですよ
いやあ!
世の中には
似た人が
いますな?
自分でも
おどろくほど
似ている!
それ
だけじゃ
ない!
これも
だ!!
競輪
必勝法!!
オートレース
赤マジックの
所を見てみろ!
おまえが
しっかりと
観客で
うつされている
まあ…
本当
だ!
週刊ポスト
週刊現実
こんな所さがす
ヒマな読者
など
いませんよ!
群衆の
中でも
目立つ
んだ!!
おまえの
顔は!!
なぜ制服姿で
そんな所へ
行くんだ!!
私服で行け
私服で!!
く…
くるしい!
死んじゃう!
死んじゃう!
別にギャンブルを
するなとは言わん!
気晴らしも必要だ!
だが
な…

先輩の場合
非番の時でも
制服着てます
からね ほとんど
私服同様ですよ
上着をジャンパーに
替えるだけで
ズボンやYシャツは
いつもそのままよ
ゴホ
ゴホ
高校生
みたいなこと
するな!
ゴホ
ゴホ
じゃあ
こうしましょう!
着がえをいつも
バッグにつめて
持ちあるきます
そして
コインロッカーで
着がえてから
遊びに行きます
!
さっきは
小学生に
馬券を
たのんで
いたのよ
なに!?
麗子!! てめえ!!
よけいなこと
言うな!!
先生に
つげ口をする
委員長
みたいなマネ
しやがって!
さっそく
工事して
ください!
へい!
ドヤ
ドヤ
ドヤ

なんの工事ですか?
トーン トン トン トン
ちょっとな!
うーむ…いきなりわからん工事を始めた…
いやな予感がするな!
にげたほうがよさそうだ!
ぐっ! おそかった!
もう一歩も外へは出さん!
しばらくこの中で勤務するんだ!!
ドッ
あいた!

こんな座敷牢《ざしきろう》みたいな所やだあーっ!!
ガチャ
今は 群衆のひとりでも いつ単独で出るかわからん! うごく三面記事だからな! おまえは!
署内でおまえを一か月間牢屋内勤務させることにきまった!
部長! いい考えがあります! 私だけ制服を学生服に変更してください
そうすればだれにも警官とわかりませんよ! ねっ!
まっ 先は長い いろいろとアイデアを考えていろ!
部長〜っ これは虐待です!!
本庁《ほんちょう》から写真の警官は葛飾署の署員じゃないか?と問い合わせてきたんだ 他人のそら似でしょうと言っておいたがな!
本庁でよくこの顔を見て先輩と気づきましたね!
出しちくり〜!!
こんな所やだァ!

はい！食事よ！ご希望のステーキ！
たのむから競馬新聞買って来てくれない？
ダメよそんなの！
ちえっケチンボ！
一ヵ月近く中に入っていてよく今日が土曜日ってわかるわね
野生の血が知らせるんだよきっと！
テレビもなしラジオもなし陸の孤島だなここは！強制的に仕事するしかやることない！
今日でなん日目かわからん！いつまでこんな生活させる気だ！ちくしょう！

あっ!! ナイフとフォークはプラ製だ!くそ!!
せっかく武器が手に入ると思ったのに!
こうなればこのカナブンくんに託そう!
「たすけてくれ」の手紙を仲間の所へとどけてくれ!
行け!!
ブーン
ポト
バタ バタ
あら!
手紙が重すぎて飛べないのかくそ!!
伝書バトのようにはいかん!作戦しっぱいだ!
柱も一番かたい樫《かし》の木を使っていやがるからな
歯で かじりつづけても まだここまでだ 一年以上かかるぞこりゃあ
やはり脱出にはあの手しかないな!
戦争映画でもっともポピュラーな方法だ!

よいしょっと！
どんなことがあっても脱出してみせるぞ！
ワシは執念深いからな！
鉄製のスプーンをワシにわたしたのがしっぱいの元だ！
あとで復讐してやるぞ!!
ザッ ザッ
もうこのあたりで公園に出るころだ
よし！今度は上だ！
ゴオオオオオオオ
ガタン
ガタン
ガタン
な…なんだ!?
グラ グラ
地震か!?

ぐわあ！
落盤《らくばん》だあ!!
ズズン・・・
おや？
今変な音しなかった!?
地面のほうから聞こえたわ
先輩!!
あっ!?
先輩!! そんな所にカーテン作ってはダメですよ!!
部長に報告しますよ！
わわかったわかった！
今 裸で水あびしてる所だ！
ちょっと待ってくれ！
今の音？ 先輩 何かやったんですか？
知らん！ 音なんて全然知らんぞ！

気のせいか…
勘のいい連中だやばいや！
トンネルもいずれ発見されてしまう！
ハリーがつぶれたら第二トンネルトムを続行しよう！
今夜は完徹で掘りつづけるぞ!!
両津がにげただと!?
カーテンがしてあったのでのぞいたらこのとおり…
うーむ…モグラみたいな奴だ！
あすで一ヵ月目だどうせ出すつもりだったからしかたない！まあいいだろ！
自力でにげたことが問題なんですよ部長！

先輩の性格から見て ぜったい復讐に来ますよ!!
心配いらん 今ごろは馬券でも買ってるにきまっとる
中川のほうがワシを よく理解しておる!
だが気づいた時は すでに手おくれ!
ギャンブルはそのあとだ!
バサ。
あっ!
部長!! 派出所から出られなくなりました!
なに!?
部長 いつぞやは座敷牢に入れていただいて 大変感謝してます! 本日はそのお礼に来ました
何をする気だ!?

右手には ゴキブリが 100匹! 左手には ミツバチが 100匹!!
さあ どちらを 入れて ほしいですか?
なんと 卑劣な!
そういうことを 考える頭が あるのなら 少しは仕事に まわせ!
ぐっ!!
よくも 言ってくれたな 両方入れて やる!!
きゃあ!!
ガシャ
ガシャ
煙幕と 爆竹も おまけだ!
うらみを 思い知れ!
シュルルル
シュルルル
どうだ 参ったか!!
パパーン
パパパーン
パパーン
わはははは
私を敵に まわすと このような 目にあうのだ!
パッ
あっ!?
つかまえ たぞ! こいつっ!
あいたた!!
鉄条網が ひっかかって いたい!

ブロロロロ
スミスさんはイギリスから日本警察の視察にみえたわけです
下町の警察活動なら派出所を見学するのが一番ですよ!
派出所という制度は世界でも日本だけですからな
あ!?
部長!? シャレじゃないですかシャレ!!
本気だったろうがこいつめ!
えーと… あ あれは防火訓練中でして日本では年に一回あのような行事があります…
ハデナ訓練デスネ

★週刊少年ジャンプ1988年25号

亀有公園前派出所
え!? 駄菓子屋《だがしや》の 留守番ですって!?
町会のバス旅行で 1日だけ 留守番を たのみたい そうだ!
ぜひ おまえに との ご指名だ!
ビシ
フロ屋の 留守番なら いいけど 駄菓子屋 かよ! まいったな!

なつかしの駄菓子屋講座の巻

じょうだんじゃないよ！ちくしょう！
町内ゲートボール大会
日時6月12日
江戸川土手（個人参加有り）

なつかしの
駄《だ》菓《が》子《し》屋《や》講《こう》座《ざ》
の巻《まき》
20
コンパ
募集
キャパ
むら

まだ酒屋のほうがメリットがあるのにな!
駄菓子屋じゃなんのたのしみもない!
くじら神殿
一六酒場
なまいきなガキが客でくるしな!
美人などぜったいこない!
花やしき通り
相変わらずだ! 30年前から全然変化がない!
COKE

両さんきてくれたかい!悪いね
本当に悪いよ
警察官はいそがしいんだぞ!ばあさん!
駄菓子屋の留守番なんぞしてるヒマは…
うわっ!!
大丈夫かい両さん!?
あいてて!手の皮がすりむけた!
この板くさってるぞ!あぶねえ家だな
昭和初期に建てた家だからねもう50年以上たつものね…

もう 十分 元はとったろ! 建てかえたら どうだよ?
おじいさんと 所帯もってから ずっと暮らしてた 家だからね こわすのに しのびないんだよ
気もちも わかるが もう限界 だぞ!
東京に大地震が きたら いの一番に崩壊 するのは この 駄菓子屋だ!
ばあさんも つぶされて 一巻の終わり だぞ
いっそ そのほうが いいよ! おじいさんの思い出が ある家に つぶされるなら 本望だよ
さみしい 話に なってきたな!
上野の下町資料館に このまま ひきとって もらったらどうだい!?
東京で こんな 駄菓子屋は ない 貴重な建造物として よろこんで買ってくれる
クリーム
息子たちも ここを売って マンションに しようと うるさくてね
家内安全
だろうな

あたしが死んだら自由にしてもいいけど生きてるうちはここを守りたいよ!
そうか! よくわかった
わしが ちゃんと留守番してててやるから安心して行ってこい!
すまないね両さん!
おみやげにおいしい羊《よう》かん買ってくるからね!
おうたのしみにしてるぞ
駄菓子屋のばあさんにとってはライフワークだからな!
ひと言では語れん!
わしもガキのころよく駄菓子屋へ行って そこのばあさんとケンカしたりしてたが…
つい最近その店に行ったら同じ ばあさんが店番してたからな!
けい光塗料
巨人軍 ブロマイド
シーモンキー

30年前から ずっと ばあさんの まんまというのは すごいな
ほとんど 駄菓子屋と 一体化している
駄菓子屋の 七不思議だ!
一個一円くらいの ハナクソみたいな 菓子や エアガン全盛時代に 銀玉鉄砲なんぞ どこで作ってんだ…
これも 駄菓子屋 七不思議の ひとつだな
今のガキが 福笑いなんか やると思って いるのか!?
家族そろって 楽しいゲーム!!
福笑い セット
時代を 超越 してるよ! この店は!
くーだ さいな!!
おう なんだ!?

リカちゃん人形の服ある？
リカちゃんの服かちょっと見てやろう！
どうしておまわりさんがここにいるの？
留守番だよ留守番！
リカちゃんだと思ったらリコちゃんかよ
駄菓子屋とくいのニセブランド商品か！
リコちゃん
本物がないんだがこれでもいいか？
これ！にせものなの？
悪くいえばそうだが複製《レプリカ》だ！サイズもいっしょ！
安い分だけ得だぞ！
色がやだ！お出かけ用のかわいい服ないの？
どれ着ても同じようだよ安いからこれにしな！

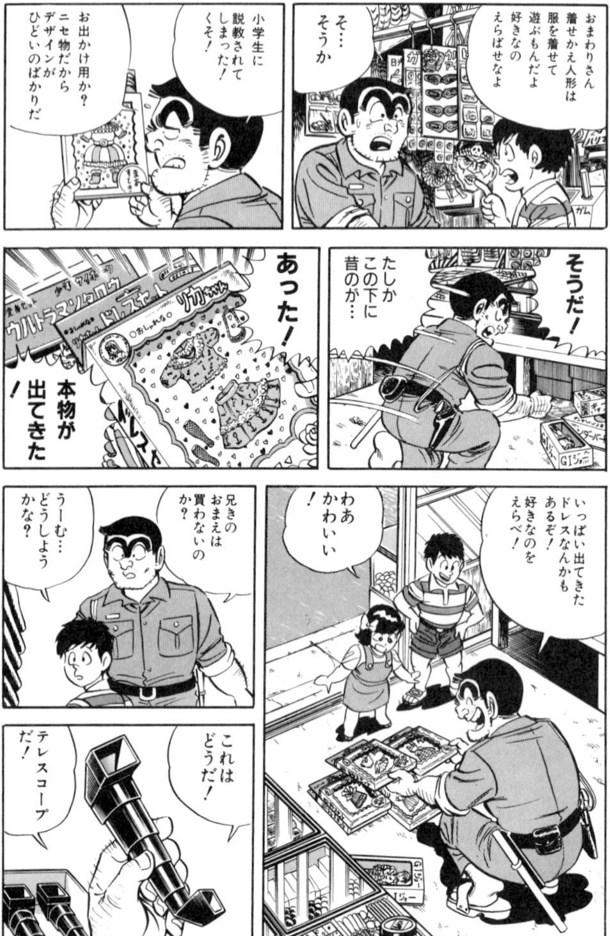
おまわりさん着せかえ人形は服を着せて遊ぶもんだよ好きなのえらばせなよ
そ…そうか
ガム
小学生に説教されてしまった!くそ!
お出かけ用か?ニセ物だからデザインがひどいのばかりだ
そうだ!
たしかこの下に昔のが…
あった!
ウルトラマンタロウ
ドレスセット
リカちゃん
本物が出てきた!
いっぱい出てきたドレスなんかもあるぞ!好きなのをえらべ!
わあかわいい!
GIジョー
兄きのおまえは買わないのか?
うーむ…どうしようかな?
これはどうだ!
テレスコープだ!

こうして カベに かくれて 敵に見つから ないよう 相手のうごきを 見るんだ
そんなことして なんに なるの?
そう冷静に 聞かれると 返事に こまる だろ!
とにかく これは そうやって 使う物だ
じゃあ こっちだ クモの糸!
敵に 追われた時 これを 投げる!
どうだ すごい だろ!!
そういう 冷たい目で 商品を 見られたら 駄菓子屋の 立場が ない だろうが!
こういう物を 利用して 遊ぶんだよ!
だから 敵って だれなの?
そんな ことして どこが おもしろいの ?

こんなので人の家のぞくわけ？
使い方がちがう！
かくれんぼや缶けりで鬼を見はったり戦争ごっこで敵のうごきをさぐったりだな
教室で先生がくるのを見たりプールで使ったりいろいろあるだろうが！
近ごろのガキは創意工夫《そういくふう》を全然知らんな
使い方を教えないとわからんとはなさけない！
これください！
きまったか！
古いから安くしてやるよ
2着で400円でいいよ
奥から出てきたGＩ《ジーアイ》ジョーの飯盒《はんごう》セットもやるよ
どうもありがとう
リカちゃんの服洗っても平気!?
母親に水で手洗いしてもらってアイロンもかけてもらいなさい！

ベーゴマちょうだい！
けっこう客がくるな
どれがいいのかな？
おまえらはじめてか？
ガチャ
うん！
初心者はタカのほうが回しやすい！この形のやつ！
じゃあこれ3個ね
あとヒモ2本！
ちょっとかしてみろ！
タンコブふたつの女巻きを作ってやる！
パワーは落ちるが女巻きのほうが巻きやすい！
市販のヒモは長く作られてるからな！
使いやすい長さに切ったほうがいい！
ヒモも新しいうちはかたくてなじまん！
やわらかくほぐしてやるからな
ビーン
ビーン
なるほど!!

正しいベーゴマの回し方の手本をしめす！
こうして思い切り強く巻くんだ これがコツだ
すごい！
地面に穴があいちゃった！
この域に達するには30年かかる！君たちもがんばればできる！
ベーゴマに油をひくのをわすれるな！サビるとうごきが悪くなる
はい
どんどん焼きやりたいんだけど…
そうか！お好み焼きもあったんだっけ！
中川や麗子の手を かりよう
思ったよりいそがしい！

麗子 イカ天に しょうが天 まだか?
ちょっと まってて!!
ザ
台所が よごれている から ちゃんと そうじして から!
いいんだよ! そのまま で!
うどん粉 入れて 早く作れ!
あっ まだ 洗ってない のよ!!
駄菓子屋は きたなさの中に 美学があるん だぞ!
でも 不衛生 だから…
わしらがガキのころは ドロのついた手で お菓子を さわりまくり 売ってるアメをなめて 元にもどしておいた ものだ!
それでも 病気せずピンピン してる こういう 所で抵抗力を つけるんだよ
どんどん焼き まだ?
もうすぐ できるよ

先輩 これいくらですか？
ひとつ5円だよ！
5円だって！はい！
しっかり売れよ
先輩 あの…
またか！なんだよ
この木のたばはゴミですか？
ニッキの木だよ！食べ物だ！
ニッキの木
試験管に入ってるこの物体も食べ物なんですか？
ゼリーだよ
まさか…こんな色したゼリーなんて…
子どもはハデな色をした物を好むんだ！いいから！
大変です！この子が紙を食べてます
ビリ
いいんだよ！ニッキで絵をかいてある食べ物なんだから！

紙を食べるって本当!?
ほらこれだよ
食べるんじゃなくてかむの!ガムみたいに!
下町の子ってすごい物食べるのね
信じがたいよ
うるせえないちいちカルチャーショックをうけるなよ!
先輩このろう石《せき》っていうのも食べるんですか?
食べるか!そんなもん!それは地面に絵をかくやつだよ!
きさま山手《やまのて》の生まれだからって下町をバカにしてるな!!
パコ
本当に知らなかったんです!
クッキー焼いたんだけどこの子たちにあげていい?
かってなことするな!!
駄菓子屋にクッキーなんて全然あわんだろうが!
だってクッキーもおいしいわよ
ほらよ赤とんぼ組み立ててやったぞ
どうもありがとうおまわりさん

道路で飛ばすなよ！土手でやるんだぞ
はく〜い
先輩・・・・このクモの糸というのは食べ物…
ではありませんね
あれだけの客が入れかわり立ちかわり入って…
一日の売り上げが2,000円だからな
好きじゃなきゃやってられんな！
本当ね
けっこう近所に子どもたちがいるんですね
駄菓子屋のおばあさんも子どもが好きらしいし…
たのしんで仕事をしてるようでしたね
自分の子はすぐおとなになってはなれていくからな
あそこにいればいつの時代でも子どもがたくさん集まる

きめた!! わしもあのばあさんの生き方をマネしよう!
どういう風にですか?
わしはかわいい子ちゃんが好きだから女子大の教授になる!
そうすりゃ20歳《はたち》ぐらいの女が たえずわしの周りに集まるよ! こりゃ最高!!
いいアイデアだ ぜひやってくれ両津!!
げっ!!
おまえの頭で女子大の教授になれるものならなってほしいな! 両津教授に!
そうやってすぐ人をバカにする! 私 本気出したら頭パンクするほど勉強しますよ本当に!!

★週刊少年ジャンプ1988年31号

究《きゅう》極《きょく》のビデオ道！の巻《まき》

行ってきます!
カット! やりなおし!!
またぁ!
行ってきます!
そのままこっちへむかって! いいぞ!
えがおで表情を…

表情がかたい！
やりなおし！
パン
あいた
今日は運動会だ！たのしいな！らんらん！
このように子どもらしくよろこびを表現する
今日はたのしい運動会だらんらん
言葉にだすんじゃない！
パン
顔でそれをあらわすんだまったく！
これは一生残る大切なビデオライブラリーなんだぞ！まじめにやれ！
次カット⑮団地から学校へ行くシーンだ
運動会のたのしさで思わずスキップしてあるいていく！
むこうの×印までスキップで行くんだぞわかったな！
用意はいいか3秒前…

今日の運動会はがんばるぞ
ぜったい一位だ！
太郎《たろう》ちゃん今日は運動会なの？
うんおばさんおはよう！
パン
だれがアドリブしろといった！
あいた
だっておばさんがあいさつをしたから…
知らんふりしてればいい！お前は私の台本通り動けばいいんだ
台本 88'運動会
お父さん！運動会にちこくしちゃうよ！
だったらNG《エヌジー》ださずにちゃんと演技しなさい！
コンコン
登校シーン上からのショットもおさえておくからもう一度！
本当にちこくしちゃうよ

首をもう2度上に!
そう!そのままあるいて!
表情がかたいぞ太郎!!
もっと子どもらしく!
ゴロゴロ
ガタッ
うおっ!?
ゴロゴロゴロ
レールがはずれた!!
だめだ止まらん!
だれかぁ~~~っ!!
ゴォオオオ

たすけてくれ！
ん？なんだ!?
一番
うなぎ
オリオン
人間がころがってくるぞ！
たすけて〜〜っ
ガアアアア
中川こい！
はい
ダッ
それっ
ガッ
うわっ
うわ
ゴロゴロ
大切なカメラが!!

よかった なんとも ない！
あぶな かった！
お巡りさん 乱暴な たすけ方を しないで ください!!
あの場合 ああしなきゃ 止まらない だろ！
BATTRY
高級な カメラなん ですよ！ まったく！ 無神経な！
なん だと！
先輩!!
パパ 大丈夫!?
なんだ 太郎？
撮影現場を 勝手に動いちゃ だめだろ！ さあ もう一度 とるぞ
今や だれでも気軽に ビデオカメラをもって たのしめるAV《エーブイ》時代 ですからね
そういや 公園などで よく 子どもを写して いるところを 見かけるな
COFFEE プラム
OPE
いい歳《トシ》して スケボーなど やりやがって！
ビデオ カメラで 子どもを 写してたん ですよ きっと

ビデオカメラはわが子をとるために購入する人がほとんどですからね 若いパパが一番の購買層です!
わしなどガキのころの写真すらぜんぜん残ってない!
おや?
バイクの通行注意
どうしたんだ? そんな重そうな荷物をもって?
わすれ物をとどけるんですよ 主人の!
ビデオのバッテリーやらいろんな物が入ってるんです なにしろ重くて!
ひょっとしてスケボーにのった男か?
そうです! 今日運動会があるので…
にくらしいやつだがとどけてやるか?
女性じゃ重くて大変ですからね
わしらがはこんでやる! 学校はどこだ?
すみません お巡りさん
運動会

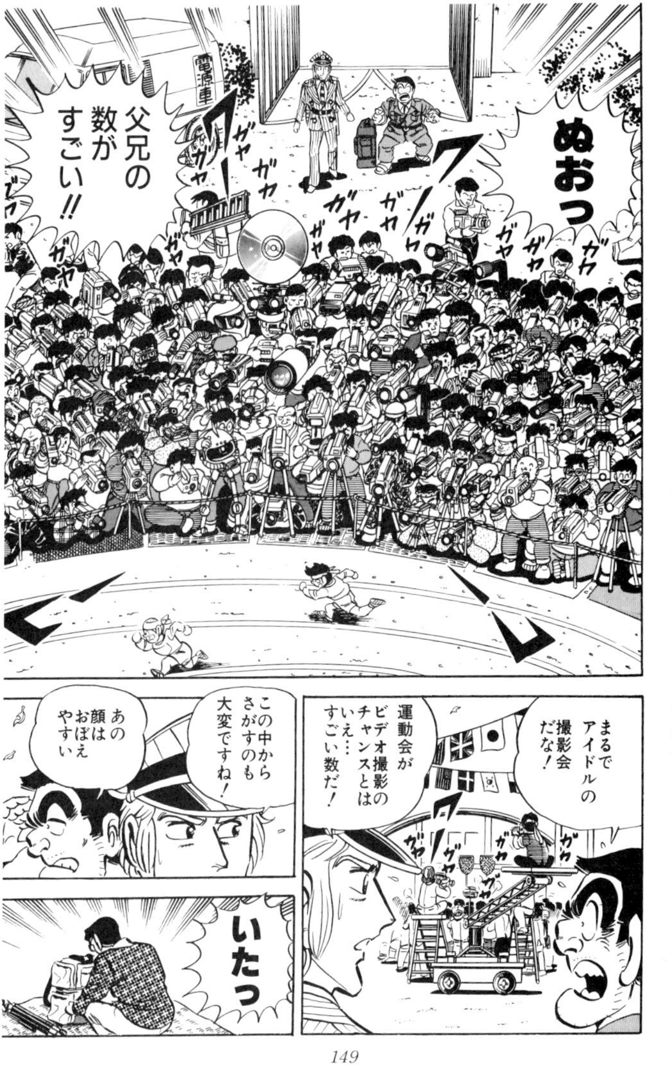
ぬおっ
ワーッ
ガヤガヤ
父兄の数がすごい!!
まるでアイドルの撮影会だな!
運動会がビデオ撮影のチャンスとはいえ…すごい数だ!
この中からさがすのも大変ですね!
あの顔はおぼえやすい
いたっ

あんた！山田《やまだ》さんだな
あっ さっきの警官!!
あんたのカミさんにたのまれてバッテリーをとどけにきたんだ
そうですか そりゃどうも
ここはビデオカメラをもった親でいっぱいだな 席とりも大変だろう？
最近じゃ一番前の席をとるには前日の放課後から寝袋もって徹夜しないと確保できないね
3日前から会社休んできてる人もいるくらいだ
私は そんなくだらんあらそいなどせん！ この超望遠ビデオカメラでわが子だけ写す！
シャキッ
180万円の業務用カメラに超望遠レンズをつけ 改造した〝運動会用SP《スペシャル》カメラ〞だ！
レンズ交換もワンタッチ!! 液晶《えきしょう》テレビでモニターしながらバシバシとれる！
ウイイイーン
そこらの安物ビデオカメラなどけちらしてくれる
ただ今より400メートルリレーのスタートです
おっ 太郎が出場するリレーだ！

それでは! わが子のショットをとってくる!!
キラッ
突撃!!
うおおお
安物カメラどけどけじゃまだ!
うおっ なんだ!?
この距離じゃ6倍ズームなど役に立たん! どけ!
前をあけろ! じゃまだ!!
やりやがったな!!
ぐわっ!!
すさまじい撮影あらそいだな!
プロの報道カメラマンも顔負けですよ!
バキ ベキ
いよいよ100メートル決勝です!

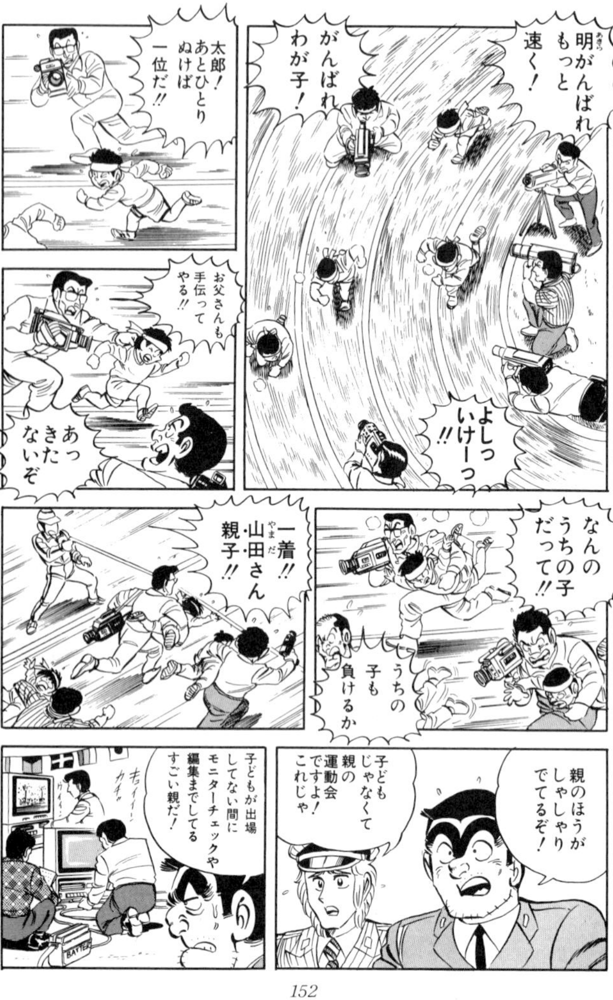
明《あきら》がんばれ もっと 速く!
がんばれ わが子!
よしっ いけーっ!!
太郎! あとひとり ぬけば 一位だ!!
お父さんも 手伝って やる!!
あっ きたないぞ
なんの うちの子 だって!!
うちの 子も 負けるか
一着!! 山田《やまだ》さん 親子!!
親のほうが しゃしゃり でてるぞ!
子ども じゃなくて 親の 運動会 ですよ! これじゃ
子どもが出場 してない間に モニターチェックや 編集までしてる すごい親だ!

ビデオテープはいかがですか？バッテリーもありますよ
テープ
15分の急速充電もいたします
バッテリー各種
8ミリ VHS VHS-C S-VHS S-VHS-C 各種あります
貸しビデオあり
業者もしっかりと商売してますね
テープはいらんかね～
のんびりおにぎり食べてた昔の運動会とずいぶん変わったな
いやあぶじに運動会が終わってよかった！
おたくもつかれたんじゃないですかね
家によってくださいずいぶんせわになったから
のどがかわいたからお茶でももらおう
ちょっと太郎まて！
ガシャ
夕日をバックに運動会から帰る姿をとるあごを3度あげて
まだとる気だ！なんて元気な人だ…！

すごいテープの数だ!!
5,500本ある！太郎のを編集したテープだけでも…
未編集のはあと2,000本くらいあるかな
太郎が生まれた時からずっと とってるからな 毎日5時間 8歳の現在まで5,500本にまとめた！
まとめたという数じゃないだろ！
ビデオは太郎の財産！大人になってきっと感謝する！
8歳まででも1日3本見て5年以上かかるんだぞ！どうやって全部見る気だ
どうせムリに演技つけたシーンばかりだろ！
演技をつけないとドラマ性がないだろうが！
主人のビデオマニアぶりも異常ですよ
毎晩明け方まで編集してるんですよ

テープ代だけで毎月3万円 毎日バッテリーをなん回も充電してるから電気代も大変!
給料はおろかボーナスもすべてビデオカメラや機材につぎこんでしまうんです
子どもの成長を高画質で残してあげるのは父親の義務と思ってます
しかし感謝されるかどうかはわからんぞ!
火事になったらこれだけの量はもちだせんぞ!
そこなんだ私が一番不安なところは…
安全にあずかってもらえる所があります
えっ本当か!
ビデオテープは高温多湿や磁気に弱いからな!
貸倉庫はエアコンも完備し保存には一番ですよ
トヨタ2000GT《ジーティー》やフェラーリなど保存しているオーナーもいます
管理も完ペキで信頼できる会社です

保管料が高くてもそこなら安心だ！
おや？
なんだあれは!?
ドガ
空から何かがふってきたぞ
隕石《いんせき》のようですね……
もうちょいで直撃するところだよ
ありゃ車が隕石にくっついてる？
強烈な磁気を発してますよ すごい磁力だ！この隕石!!
金属がみんなひっついてる

大変だ！ビデオテープが!!
大丈夫だよ当たらなかった！
強烈な磁気を浴びているんだぞ！
それがどうかしたか？
ガチャ
ビデオテープも磁気の配列で構成されているんだ！強力な磁気だと配列がくるう可能性が…
ガチャ
消えてしまった…
ザー
これもだめだ！これも！これも！これも！
ガチャ
ガチャ
8年間の苦労が一瞬にして消えてしまうとは……
アドバイスしなければよかったですかね…
うおおお
5,500本すべてのテープが消却してしまったあ
うおおおおおっ
う――むちょっぴり気の毒な気がする

数日後
その人のテープ全部消えちゃったの！
亀有公園前派出所
写ってるのもあるが画質が荒れてまるでダメだ！
ビデオが生き甲斐だっただけにかわいそうでしたね
まったくだ
お巡りさん先日はどうも！
あっあんた！
いやあこないだは本当に悪いことしたよ
初めはショックでしたがおかげでふっ切れました！
今までの私はビデオにふり回されていた気がします…
わが子をビデオのファインダーごしでしか見ませんでしたからね
けっきょく父親のわがままな自己満足ですね
子どもはペットとはちがいますから

ずいぶんと考え方が変わったな！
今度の一件で考えさせられました
どこかでかけるんですか？
子どもと遊園地へ行くんです
カメラなどもたずに手ぶらでね
この子が大きくなったら 私が子どものころの話をしてあげますよ
カメラ片手に走り回っていたころにくらべ人がらもずいぶんおだやかになりましたね
やっぱ昔話は見るより親父から聞かされたほうがいいものな！

★週刊少年ジャンプ1988年44号

ハーフサイズ漫画の巻

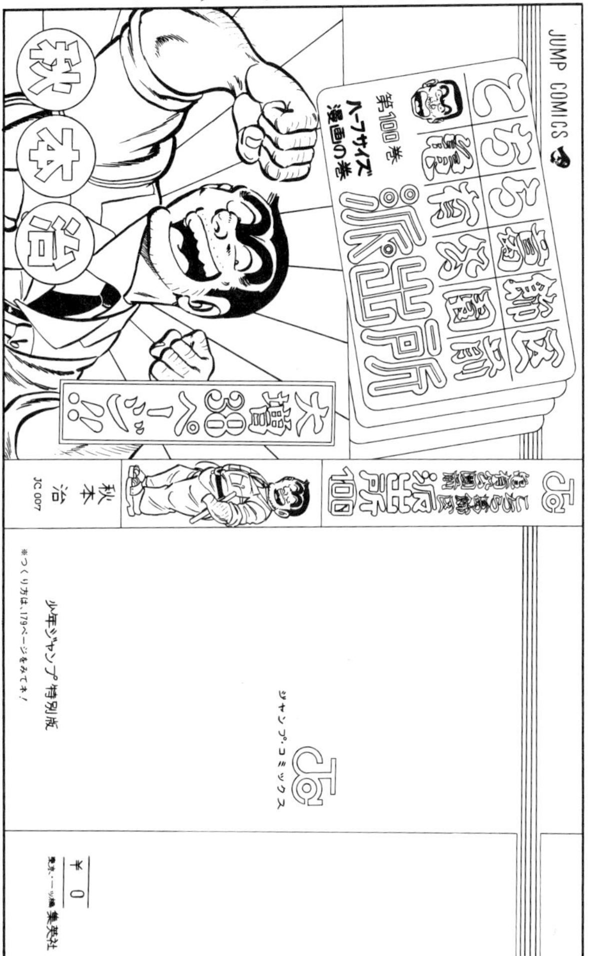
JUMP COMICS
こちら葛飾区亀有公園前派出所
第100巻
ハーフサイズ漫画の巻
秋本治
大増38ページ!!
こちら葛飾区亀有公園前派出所 100
秋本治
JC 007
ジャンプ・コミックス
少年ジャンプ特別版
※つくり方は、179ページをみてネ！
¥0
東京・一ツ橋 集英社

夏の交通安全
キ
ミ
うおっす！
おはようございます！
今回はページが多いですね！
その通り 大増38ページもあるぞ！
さらに切りとって組み立てればコミックスになる！
こんなすばらしい企画は 例がないぞ！
増ページといっても1ページに2ページ分 入れているだけですよ
カメラのハーフサイズと同じ理屈だ！ ひきのばせば35ミリサイズと変わらん！
この漫画も拡大でコピーすればほかの漫画と同じわけだ！

1
2

13ページのギャグ漫画でページが少ないとなげいている作家はハーフ漫画にすればいい
一気に26ページに増える!
読みづらいですよ
ほんと
作家全員がハーフ漫画にすればいいんだよ まともなほうが今度は見づらくなる
コミックスになった場合小さすぎて読めませんよ
虫めがねでコミックスを見るんだ
ひどい!
そういえばおもしろい話がある

ビッグなんとかという青年誌で10数年前 新人が漫画賞に入選したことがあった
ところがその作品は60ページ以上の大作だったんだ
掲載するページは31ページ分しかなかった
その入選作はなんとこの漫画のようにハーフサイズで発表されてしまった!
本当ですか!?
その発想に私は思い切り笑わせていただいた
絵がうまく内容もシリアスだっただけに作者には気の毒だったよ

昔 COM《コム》という漫画マニア誌があって 新人は よくハーフサイズで掲載された
ハーフなどまだいいほうでクォーターサイズ名刺サイズなど…
しまいには16ページの作品を1ページの中に掲載されたものもあった
1ページが切手より小さいんだぞ
全然読めん
それを思えばハーフサイズなど読みやすくてたまらん!
たしかにそうですが…
昔の月刊誌には必ず別冊付録という おまけの本がついていた
切りとればそれと同じわけだ!

ところで両ちゃんこのバッジ知ってる?
ん! なんだ!?
カッパのバッジだろ!
小学校でよく買わされたよ なつかしいな!
学校で買うの?
そうだよ!
これをつけていると都電や都バスがタダでのれるんだよ
10月1日の都民の日にはな!

おまえら全然知らないのか?
はじめて聞きました!
麗子は神戸《こうべ》生まれだし 中川は外国育ちか……
東京都だけで販売してたみたいだな…
当時は 全国の小学生がこの「カッパのバッジ」をつけてると思ってたのに
東京ローカルのさみしいバッジだったとは…
どこにあったんだこれ?
台所の下に落ちていたのよ
おはよう!
おはようございます

部長なら東京だからこのバッジ知ってますよね!
なんだこりゃ
見たこともない!
だめだ時代がちがう…
部長が小学生のころはB《ビー》－29からにげ回ってた時代だからな!
そのバッジ先輩のかも知れませんよ
ほかに該当者がおらん!
毎年売るたびカッパのデザインがちがってな
ついシリーズで集めたくなって毎回買ってしまうんだ

切手やコインのように値が上がると思い当時コレクションしてたが…
全国的にだれも知らなけりゃ値が上がるわけないよ！くそ
おい両津！
夏休みの安全指導で是非おまえにと署長から推薦された
私が何をやるんですか？
それだよそれ！
えっ…
私がカッパに!?

足ヒレをつけて…
甲羅《こうら》をしょって…と
こんな感じですかね
どうもカッパに見えん！

髪形が悪いんじゃないかしら
うむ丸ボウズのほうが合う
やめて!! 丸ボウズなんてやだあ!!
これも仕事のためだ!
うむ! より本物らしくなった!!
本物を見たことあるんですか!!
よし池へ行くぞ
えっこのままで!?
首にヒモをつけとこう
あっ

亀有公園
部長ヒモはやめましょうよ!
だめだにげるおそれがあるからな
ペッタン
ペッタン
おい! カッパだぞ!
写真撮っておこう
見せ物じゃねえぞてめえ!!
うわ! おこった

こら よさんか
ぐべ!!
ムチャしないでくださいよ!!
ゴホン ゴホン
さっさとこい!
夏の水遊びの危険を教えるためにカッパのコン吉《きち》くんがきましたよ
カッパだって
本物かなあ?

両さんに似てない?
そうだよ両さんだ
なんであんなカッコしてるんだろ
よく恥ずかしくないね
ばかみたい
大人のくせに
ヒソ ヒソ
大きなお世話だおまえら!!
だまってりゃいい気になりやがって!!
こわい!
きゃあ!!
よさんか!
ギュッ
くえっ
凶暴なカッパですね
ゴホッ ゴホ
腹が減ってるのかな?

朝から何も食べてないんすよ
何か食べ物はないか！
ほらキュウリよ！
カッパの大好物だ！
なめてんのかこのアマ!!
先輩冗談ですよ！
きゃあ
おまえらにもカッパをやらせてやるぞ!!
遊びやがって！
はいハンバーガーよ
やった！
ハンバーガ
M

カッパがハンバーガー食べてる変なの！
ガヤ
ガヤ
カエルを食べればいいのに
先輩落ちついてください
子どものいうことですから
子どもたちこわがってますよ
成功ですよ町会長さん
今見た通りカッパとはおそろしいものだ
カッパは池や川の近くに出没するから決して近づいてはいけない
キケン

池など危険な所で遊んでいると池の中からカッパが…
寝てる場合かこら!
仕事をしろ!
ふぎゃ
ちょっと食休みしてたんですよ
カッパは休まんでいい! 早く池に入れ!
こんなカッコで死んだら大笑いだな!
両津家の末代まで笑われそうだ
早く飛び込め!
ドン
うわっ
うおっ

池の中にはこのようにカッパが潜んでいる
近づくと池の中にひき込まれてしまう
くそっ
あっ
このようにひっぱられてしまうわけだわかったね!
このおじさんのようにボケーっとつっ立ってると危険だ

さらに…
キッ
ガッ
うわっ
うわっ
キッ
きゃあ
女だから
許して
もらえると
思ったろ
グイ
そこが
あまい!
カッパの
世界では
通用しない
ヒョイ
きゃあ

このように
池から
離れていても
あぶない!
くれぐれも
川や池などで
遊ばない
ようにね!
おや!?
ドロ
ボウ
だ!
WC

だれか
そのふたり
捕まえて
くれっ!
大変だ!
これは
わしらの
仕事だ!
まてっ
うおおおっ?
カッパだ!?
どけ!!
おっと
うおりゃ

部長
そいつを
頼みます
おい
両津!!
しまった
ひとり
にがした!!
あの格好じゃ
警官だと
わからんぞ
先輩も
自分の
格好を
わすれてるん
ですよ
うわっ
まて
こら!
めし
きゃあ

なんでカッパに追われるんだ!?
しかしなぜかこわい!
あっそうか!
走りにくいと思ったらカッパに変装していたんだっけ!
どうりでみんながよけると思った!
COFFEE
くそ!足ヒレが!!
きつくてはずせん!
こうしてる間に犯人がにげちまうぞ

しかたない!
このままで追跡だ!
山中肉店
くそ!しつこいやつめ!!
ドードー!
祭
たこ
ースせんべい
おばけやしき
さあいらっしゃい!
おひとり500円だよ
お一人 500円

あっ お客さん！
お金 お金！
カッパも お金を!!
げっ カッパだ！
うおっ カッパだ!!
な なんだと!?
ドスッ
ガラ
バババ
タ
ガツ
ガシャ
おばけや
うわっ
うおっ
きゃあ

あっ！
ダッ
つか まえた！
ダダッ
くそ！
にがす ものか！
しめた 警官だ！
その男 捕まえろ！
え!?

どけ！どけ！
ひゃあ
なんたるざまだ！
なさけない！
それでも警官かきさまら！
すすみません！
パトカーを回せ！早く!!
ははい！
あのカッパはいったいなんなんだ？
わからんとにかく知らせよう
プァン
プァン

しまった!!
パトカーが!!
プァン
プァン
プァン
部長！先輩ですよ
やっと追いついたな
バタッ
捕まえたぞ!!
くそ！
まいったもう観念したよ
するのが遅すぎだバカ！
ニュータイプの警官だねあんた！
おれの負け……

じゃないよ!
あっ
ヒラリ
ドボッ
わはは…ざまあみろ
泳ぎは国体に出たほどだにげ切ってやる!
そんなことはさせんぞ!!
バシャッ

本当に追いかけてくるとは…
なんてやつだ!!
ザバ
ザバ
泳ぎならこっちも自信がある!!
ザザザ
Yuuhi ユウヒビール
ニーニー!!
ニーニー!!
なんだあれは!?
カッパだ!!
カッパが泳いでいる!

住民より
隅田川をカッパが
泳いでいるとの
情報があり
現場にきて
おります!
バババ
あっ!
きたぞ!!
たしかに
カッパ
だ!
これは
スクープ
だぞ!!

ただ今
それらしきものを
発見! 前方を
泳ぐ人間を
すごい勢いで
追いかけてます!!
マスコミの
連中め!
いっぱい
集まり
やがって!
写真撮る
暇があったら
犯人を
捕まえろ!!

まだ追ってきやがる！いいかげんあきらめろ！
ばかやろう おまえこそあきらめて捕まれ！
ただ今カッパは佃大橋《つくだおおはし》をこえました！
隅田川の河口へとつき進んで行きます
カメラが近距離で捕えました！
たしかにカッパのようです!!
ドドド
河口へとむかってるようです
プァンプァン
どこまで追う気だあいつは
勝鬨橋《かちどきばし》をすぎ芝浦《しばうら》方向にむかってます
いっこうにスピードは落ちません！

しつこいぞ あきらめろ!!
ぜい
ぜい
ぜい
ここまできたらあとへひけるか!!
太平洋《たいへいよう》の彼方まで追いかける!!
はぁ
ついに東京湾《とうきょうわん》へ出ました！
いったいどこまで泳ぐのでしょうか!?
パトカーではこれ以上追えませんね
両津は負けず嫌いだからな…

★週刊少年ジャンプ1988年39号

←さあ、みんなで特製コミックスをつくろう!!

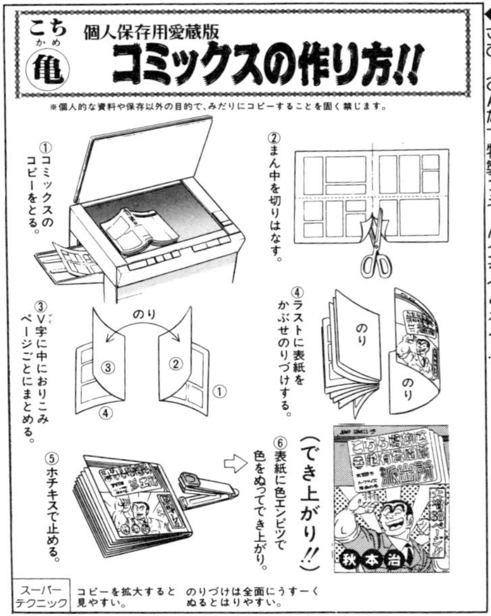

飛《と》べっ! ショルダーコプターの巻《まき》

うおっす
なんです
それは？
チャポ
チャポ
ガソリンを
買って
きたんだよ
こないだから
奥で何か
組み立てて
いたわよ
また
とんでもない
物を作ってる
のかな？
先輩
それは
なんですか
？
トクトク
ヘリ
コプター
だ！

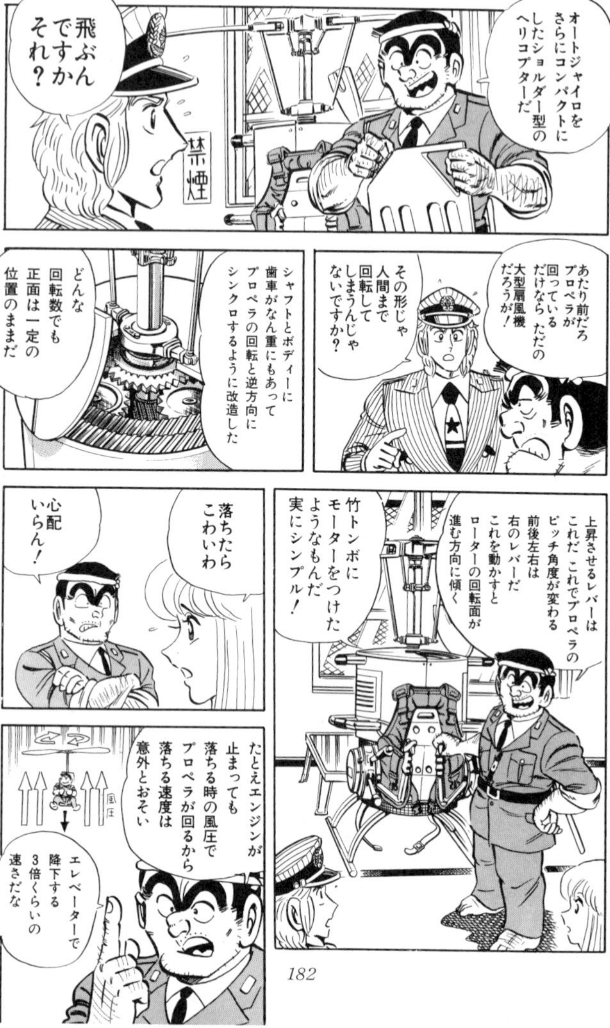
オートジャイロをさらにコンパクトにしたショルダー型のヘリコプターだ
飛ぶんですかそれ？
禁煙
あたり前だろ プロペラが回っているだけなら ただの大型扇風機だろうが！
その形じゃ人間まで回転してしまうんじゃないですか？
シャフトとボディーに歯車がなん重にもあってプロペラの回転と逆方向にシンクロするように改造した
どんな回転数でも正面は一定の位置のままだ
上昇させるレバーはこれだ これでプロペラのピッチ角度が変わる 前後左右は右のレバーだ これを動かすとローターの回転面が進む方向に傾く
竹トンボにモーターをつけたようなもんだ 実にシンプル！
落ちたらこわいわ
心配いらん！
たとえエンジンが止まっても落ちる時の風圧でプロペラが回るから落ちる速度は意外とおそい
風圧
エレベーターで降下する3倍くらいの速さだな

本物のヘリもエンジン停止の時は その手で不時着させるわしのはシンプルだから 竹トンボのごとくおりてゆける
自転降下《オートローテーション》しやすい形状ですね
いちおう非常用のパラシュートもちゃんとある
安全性も考えないと売れんからな
売るんですかこれを!
わしがただの趣味でこんな物を作ったと思うのか!
近所の発明好きのおっさんじゃないんだぞ!! わしは!
このヘリはちゃんとした商品として開発したんだ!
都会の渋滞で車が用をたさなくなった現代で 次なる乗物はヘリだ! ゴルフ会議など大会社ではヘリを活用しヘリの登録台数もアメリカのようにどんどんふえている
そこで わしはきたる21世紀では個人ヘリの時代がくると予想しいちはやくパーソナル・ヘリを開発したんだ!
一号機は手作りで90万円以上のコストがかかってしまったが…
スポンサーがついて量産になれば50万円くらいになると思う!
ベル222《トリプルツー》型で4億円ほどしますからめちゃくちゃ破格ですね!
価格を軽自動車並にすれば みんな赤トンボのように空をビュンビュン飛び回れる

エンジン直結じゃ音もそうとううるさいでしょう
いいや！見た目ほどではないぞ！
ほら！このくらいなら…
うお
ヒュン
ヒュン
ヒュン
ヒュン
きゃあ！
ローターが回りだした
ガクッ
家の中じゃ実験はむりだな
公園でやったほうがいいですね

ローターブレードがこのようにおりたためてコンパクトになる
カチャ
カチャ
それはいいアイデアですね
重量が30キロあるそれが難点なんだ
エンジンですからしかたないですよ
軽いプラスチックを使うと耐久性が心配だしチタンだとコストが高くなるからな
いろいろと考えてるんですね！
装備が大変ですね
上空はさむいからな雨や風にたえる装備をせんとな
地図やコンパスももった…と
無線をひとつあずけとく何かあったら連絡する
わかりました
よいしょっと…
ガチャ

あぶないから
お前たち
はなれて
いろ!
よし!
離陸!
上がったわ!
成功ですよ
先輩!
テスト飛行で
東京一周
してくる
から!
部長には
だまって
おけよ!
本当に
竹トンボ
みたいだな
器用ね!
あんな物を
作るなんて…

うーむ いい ながめだ!
乗りごこち快調!!
地図を見て移動しよう
ガサ
ヘークション!
風をまともにうけるからひえるな!
扇風機の前にずっといるようなもんだからな
どれ下界のようすを見るか
おお!手にとるごとく近くに見えるぞ
まさに空中散歩だな

エンジンの音がやけにばらつくな!
出力が落ちてきた
やばい!高度がどんどん下がってきた!
出力バルブを全開に…
ぬおっ下は動物園だ!!
こら!!上昇しろ!!
エンジン!しっかりしろ!
うおっ!もう手おくれ!!
ワニだらけじゃないか!くそ!
いなばの白ウサギじゃないんだぞ!!わしは!

あいたた
ケツを
かまれた！
こら
はなせ！
おおっ
エンジンが
生き返った！
あーーっ
きさまら
こいつ！
バッ
バッ
ついてくるん
じゃない！
こら！
はなせ！
しつこい
ワニだ！
しかたない
服を
切る！
よし！
とれた
湯

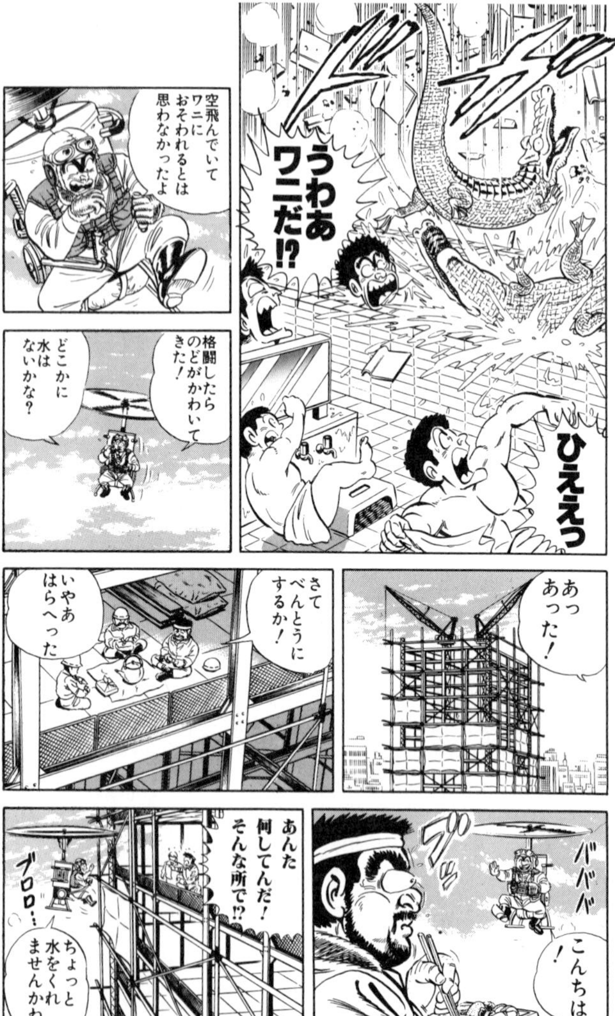
ドバッ
うわあ ワニだ!?
ひええぇっ
空飛んでいて ワニに おそわれるとは 思わなかったよ
格闘したら のどがかわいて きた!
どこかに 水は ないかな?
あっ あった!
さて べんとうに するか!
いやあ はらへった
バババ
こんちは!
あんた 何してんだ! そんな所で!?
ブロロ…
ちょっと 水をくれ ませんかね

オニギリまでもらっちゃったよ！
なんて親切な人だ！
高層ビルからながめての食事もオツなもんだ
さすがに上空は風があるな！
プロペラが安定しない！
あっオニギリが！
コロ
落としてたまるか！
しまった！
ビルの屋上だったんだ！
うおおおお
はやくエンジンを！
やった

この状態じゃよけい加速してしまう！
ババババ
しまった！
ぬおっ地面が！
バタバタバタバタ
方向転換だ!!
やった！
ババババ
ふう間《かん》一髪《ぱつ》だった！
びっくらこいた！
ビュン
おちおち食事もしてられないよ
そろそろガソリンを補給しといたほうがいいな
石油
1ℓ 140

バッバッ
バッ
ガソリン入れてくれ!
スーパー
1ℓ 140円
ひえっ!
ハイオクをたのむぞ
はいはい
ヒュン
ヒュン
よし OK《オーケー》!
缶コーヒーも2本もらうぞ!
ままいど
さーてまた飛ぶか!
ビュンビュン
ピョーン
ワン
ツー
ビロ〜ン
ピョン
ピョン
なんなんだあれは…
宇宙人かもしれん…
ガヤガヤ
ブロロロ…

あっ 本田だ!
ようし おどかして やろう
おそい! もっと 速く!
なにぃ!?
空飛ぶの つかれたから ひと休み
こら あぶない だろ!
ダンナ 仕事中だぜ!
いいから いいから
おりて くれって!
あ!!
ばか! 出力バルブを 回したな!
うおおお
ひえええええ

ぎゃあああ
ドドドドド
本田先輩!!
ぎゃあああこわいよ～
こら!あばれるんじゃない!
お前が出力バルブを急に上げたからこうなったんだぞ!!
びえええはやく下におろしてくださ～い!!
お前をかかえてるからコントロールがむずかしい!片手をはなすぞ!!
ぎゃあああやめて!やめて!
先輩きこえますか?
おっ!中川からの連絡だ
びええ
空の旅はどうです?良好ですか?
ちっとも良好じゃない!よけいな荷物をひろってしまった
はやくなんとかしてくださ～い!!

おっ!!
神宮球場《じんぐうきゅうじょう》で野球やってるぞ ちょっと見て行こう
そんなの見たくないですよ~~!!
そうだ! 馬券を買っていたんだ! 中山競馬場《なかやまけいばじょう》へこれから行こう!
やだ~ どこへも行きたくない おろして~~!!
こら そんなにあばれるんじゃない
まったく! えらい荷物をひろってしまったな
びえええ
おっ いい所がある
手がつかれたから お前はここでおりろ!
うひゃあ こわいよ~~っ!!
帰りにむかえにきてやるよ
おいてかないで~
こんな所やだ~~!!
たすけてくださいよ~~っ
びえええ
あまり動くな あぶないから!

ふたり乗りにもじゅうぶんたえられるなメモしておこう
上空でひえてきたな!おしっこしたくなっちゃった!
ここでしてしまおう!空からの噴水だ
だれも見てないし!
うおっ何だ!?
急に出力が上がった!?
ブ
ブ
ブ
ブ
はやく高度を下げないといかん!
ビィィィ……
だめだバルブがこわれた!
成層圏《せいそうけん》まで行ってしまうぞ〜〜〜
ヘリコプターの実験中に行方不明になっただと?
無線でも連絡がとれないんですよ

東京タワーの上で発見された本田さんの情報によると 先輩は上空へ飛んで消えたそうです
ガソリンも切れ非常用パラシュートで脱出したはずですがどこにもいないんですよ
上空のジェット気流に乗ってかなり 飛ばされた可能性があるんです
ビーフジャーキーやカンヅメなど食料をちゃんともってたから多少平気だと思うけど…
一か月程度なら何も食べなくても大丈夫だ あいつの生命力はゴキブリ並だからな
ただ今アメリカからビッグニュースが入りました
雪男発見
アラスカ山脈の最高峰マッキンリー山頂でついに雪男が発見されました!
情報によりますと「オレハリョーツダ」と日本語に近いなき声を発してるとのことで…
太平洋をこえてアラスカまで飛ばされるなんて…まるでタンポポのタネみたいだわ
悪魔のタネだ・・アメリカで何か不吉なことがおこりそうだな

★週刊少年ジャンプ1988年48号

幸《しあわ》せ一杯《ぱい》かき氷の巻《まき》

高級だがし屋
亀有支店
すてちまうのかよ！もったいねえな
かき氷
氷
アイスクリー
メロン
まだまだ使えるぞ！この氷かきは！
カラ カラ カラ カラ
時代の流れだからね
電動式のほうが楽だし 手動だと手がつかれてね！
たしかにそうだがな！

おばちゃん氷イチゴちょーだい！
ぼくはメロンね
アイスクリーム
あいよ
電動ならすぐだから便利だよ
ひゃっこいくん
なるほどな！
じゃあこの氷かきわしがもらっていくぞ
いいけどどうすんだい？
派出所で使うんだよもったいないからな

やった
これで夏はすずしくすごせる
ぎゅいん
しゅわっち!
ぎゅいん
しゅぱっ
とうちゃく
なんなのそれ?
元祖氷かき機駄菓子屋でもらってきた

どうする気
そんなの
もらって!?
むろん!
かき氷を
作るんだよ!
先週
スーパーの
バーゲンで
両ちゃんが
買ってきたのが
あるじゃ
ない
ガチャ
そんな
オモチャ
みたいのは
ダメだ!
この
グルメ時代
かき氷も
本物志向で
なければ
いかん!
かき氷にも
本格的な
物がある
のかな?
コロコロ
変わるん
だから
くそ
冷蔵庫の
氷は
使えない!
だから
こっちのほうが
使いやすい
わよ!
さっそく
作ろう!

氷を買ってくる
このように苦労して作るから本格的なんだ
氷屋はどこかな?
いつもこのあたりに…
いた!
氷屋
おい氷くれ!
へい!
どのくらいいりますか?
*1貫目《かんめ》でいいよ!
1貫だと1,000円になります
なに!そんなに高いのか!!
うちの氷は六甲山《ろっこうさん》の岩清水《いわしみず》から作られた天然の氷ですよ!
本当かよ

*1貫目《かんめ》=約3.75キログラム

2貫にすると 1,600円で 2割引きですよ!
そりゃ得だな よし! 2貫だ!
3貫にするとさらにお得 3割引きで 2,100円!
安い! 3貫にする!
そういうわけで 10貫目 買ってしまった!!
うわっ すごい!
本来なら1万円もするところ 5割引きの 5,000円だ 半値だぞ!
たしかに安いですけど!
シャカ
シャカ
シャカ
シャカ

見なさい！
このおいしそうな氷を！
わたしたちも作るから少しちょうだい
駄目
身銭《みぜに》を切って買った大切な氷だ！タダであげるもんか！
ケチねえ！
このようにガッチリとセットして！
おお！すばらしい音だ！
本格的だぞ！
シャカ
シャカ
シャカ
シャカ
シロップを上からかけて…
完成！

まずひと口！
パクッ
うまい…
やはり本物はちがう！
君たちの氷も食べさせてくれるか？
いいですよ！
パクッ
まずい！
水道水のカルキと冷蔵庫のにおいがミックスされた不ゆかいな味だ！
こっちのほうが100倍おいしい！氷がちがうよ君たちのとは！
冷蔵庫でタダで作った氷とは上品さがちがうよ！
きのうまではこの氷かき機で作ったのを最高だと食べていたくせに…

今度はぜいたくにミルクを入れて作ろう
シャカ
シャカ
シャカ
シャカ
MILK
う うまい
実にデリシャス!! まさにグルメのかき氷!!
いやあ君たちにも食べさせてあげたいよ!
そのようなかき氷で満足してるなんて実に気の毒!
この氷のかがやき!
そして絹のようなまろやかさ!
パク
むむむむ…ファンタスティック!
まるで雪を食べているみたいだ!
ぷる
ぷる
さすがプロ用のマシンだ!
どんどん作れるぞ
シャカ
シャカ
シャカ

しかし…3杯目ともなると少しょうあきてきた…
シャリ
シャリ
口の中がつめたさでマヒしてるよ
まだこんなにあまっているからな!
よし!!君たちにも特別サービスだ!かき氷をあげよう!
安いからといっていっぱい買いすぎたのよ!
そう!安物買いの銭失いですよ
もう食べたからいいですよ!
うるさいな全部食べりゃいいんだろ!
近所の人にくばったらどう?
やだ!
人になどぜったいやらん!
こうなりゃ意地でも食べてやる!!
たかが氷じゃねえか!
シャカ
シャカ
シャカ
シャカ
シャカ

こんなもん ただの水 だと思えば いくらでも 入る！
人間 体の1/3は 水なんだ からな！
ぬおっ
一気に 食べたら 頭が しびれて きた！
もう！ すぐ 意地に なるから！
このままだと とけてしまう から 冷蔵庫に しまっておく！
本当に 全部 食べる気ね
くそ！ たった これだけしか 入らないぞ！
冷蔵庫が 小さい ですからね
しかたない わけよう！
ジャカ ジャカ ジャカ
前の酒屋の 冷蔵庫を かりて あずかって もらえ！
え!?

のこりはあきらめてすてるしかないですよ
うるさい全部使ってやるぞ!
これだけでも30杯はとれるんじゃない
毎日食べてもひと月かかるのかうーむ…
考えてもラチがあかんとにかく食べよう!
シャカシャカ
えっ食べるの?
しょせんは氷のカタマリだ!
なんとか食べられるだろ!
シャカシャカシャカシャカ
シャカシャカ
氷イチゴと氷イチゴミルクの2《ツー》バリエーションじゃひろがりがないな
シャリシャリシャリ
だってイチゴシロップしかないわよ
ちょっと別なのさがしてくる!
やだ!おしょう油入れてる!

あまいものばかりじゃ片よってしかたない！
うむ・・あまからでなんとかいける！
シャリ シャリ
気もち悪い！
まだけっこうのこってるな！
めんどうだいっぺんにやっちまおう！
シャカ シャカ シャカ シャカ シャカ シャカ シャカ シャカ
ふう！やった!!全部かき氷にしてやった！
どうするのよこんなにしちゃって!!

きまってるだろ! 食べるんだよ!
このへんはコーラをかけよう
こっちはケチャップとソースで変化をつける!
見てるほうがはき気してくるよ
シャリ シャリ シャリ シャリ シャリ シャリ
さむくなってきた! お茶を飲んで体をあたためよう!
もうだめだ! これ以上は食べられん!
よくそこまで食べましたね!
のこりはすてるしかないわね もったいない
いや! オニギリにしてあとで食べる!

亀有公園前派出所
氷を主食にして生活してるだと!?
高い氷を買ってしまいとけたらパアになるんで毎日食べてるんですよ!
40キロ近くあった氷の2/3以上食べましたよあと10キロぐらいのこってます
なんてバカなやつだ!
おはようございます
ちょうどお昼なのでここで食事させていただきます
ガサ
ガサ
その氷を食べるのか?

ギネスに載る前に体をこわすぞ!
シャカ
部長ご心配いりませんよ
シャカ
シャカ
近ごろは健康を考えビタミンドリンクを入れてます
これが またかき氷に合うんです!
さらに玉子を2個
精力をつけるため・・・とろろとなっとう!
これで栄養満点!
おいしそうでしょ!
グチャ
グチャ
そうだ! 中川
かき氷の新しいバリエーションを見つけたぞ!
シャリ
シャリ
シャリ
どんなのです?
きのうは・・・氷カレーを作ったろ!
え ええ あの不気味なやつ?
あれは失敗だった ミルクかけて食べたが全然おいしくなかった!
でしょうね

これが新作の氷ずしだ!
ごはんの部分がかき氷なんですか?
そう! ネタがつめたくなって長もちする
これにジャムをつけて食べるんだ
さっぱりしてうまい! 20個くらいいけるぞ
シャリ シャリ
そ… そうですか?
ゆうべは暑かったからかき氷を6キロも食べたからな
のこりはわずか あと4キロだ ははは
あいた いてて!
ほら見なさい! だからいったでしょ
あいたた いて~~っ ちくしょう!
悪食《あくじき》の両津もさすがにこたえたな!

★週刊少年ジャンプ1988年34号

ロボット派《は》出《しゅつ》所《じょ》改《かい》造《ぞう》再《さい》計画の巻《まき》

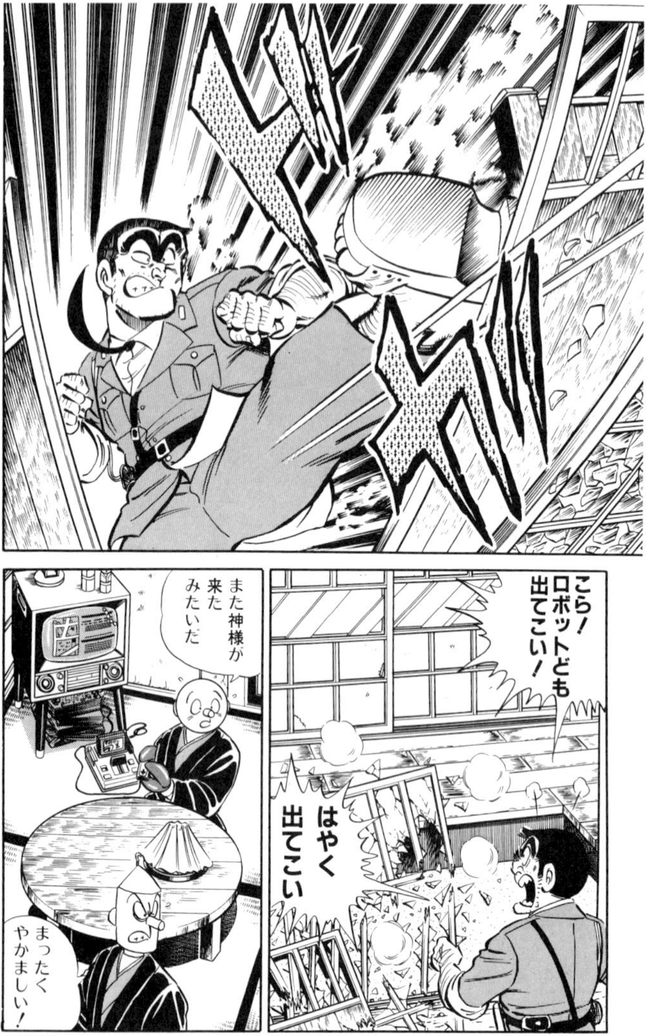
こら！ロボットども出てこい！
はやく出てこい
また神様が来たみたいだ
まったくやかましい！

今度はいったいなんですか？
前回おこなった「ロボット派出所ぶちこわせ！アンケート」のハガキが来たんだ！
これが「派出所こわすのやめてください」と言う読者からのハガキだ！
これが「ぶちこわせ！」のハガキだ!!
ドン
派出所をこわせと言うハガキのほうが多かったみたいですね
148通も来た！中には「おもしろいから派出所こわしてください」とか「こわしてください！プレゼント何か送ってくれ！」とかわけのわからんのもなん通か入っていた！
わしが和風派出所にして協力したのに！なぜうらぎるんだおまえら！
ぼくらに言われてもしょうがないですよ！

ダメ太郎《たろう》を救ってくれと言うハガキも多く来てたがアンケートと別物なので票にくわえなかった!
それはひどい!
男の約束だ!「ぶちこわせ」ハガキが50通以上来た!ロボット派出所を今すぐぶちこわせ!
そんな!!
「そんな」もクソもあるか!ぶっこわせ!
これは命令だ!!
ん!?
なんだ!?
あっ部長!!
自分の仕事さえろくにやらんくせに!他人に説教できる立場か!おまえ!
よその派出所をかまう前に自分の派出所をしっかりと守れ!
あいたたたた!
ロボット
わかりましたから!耳を引っぱらないで!!

嵐のようなやつだ いきなり来てメチャクチャにして帰っていった！
炎《ほのお》の介《すけ》さん これだけハガキが来たのは事実ですからね
もう少し この派出所を地味で 目立たないようにしましょうよ！
そんなモン気にすることないのに！きまじめなやつだな！
日本一 自堕落な生活をしてるおまえは人に説教などする資格はないぞ！
まったく身のほど知らずが！
おまえと対等に比べられるのはヘビくんトカゲくんカメくんなどハ虫類だけ！
今後はトカゲたちに説教しなさい！余分なことに少ない脳ミソを使うんじゃないわかったな！
コッ コッ
くそ……
勝手にハガキアンケートするなんてひどいと思うわ…
うるさいなぁおまえら！あっちへ行ってろ！
ほら また神経が・・・お留守になってる！こっちむけ！
今 おまえは怒られているんだぞ！少ない脳ミソでそこをよく理解しなさい
コン コン
くく……

を除く
きのうはとんだヤブヘビだったな！
部長に思い切りしかられてしまった！
無計画でだらしのない生活しようが大きなおせわだよ
その日を暮らすことさえままならないのに計画などたつもんか！まったく！
あっ
ロボット派出所がなくなっている！
一日で本当にぶっつぶしてしまうとは！えらい！
なかなかいさぎよい連中だな！
ギッ
ようやくこれで静かになる！
ガタッ

おはようございます
うおっす
おはよう
ロボットたちが出て行ってさっぱりしたな！
え!?出て行ってませんよ！
ばか言え！影も形もなくなっているぞ
ロボット派出所はありますよちゃんと！
なに言ってんだ中川の奴！
あれ!?おかしいな！
おい麗子!!机に入れといたわしのラジオと競馬新聞どこへやった？
そんなのないわよ！そこは私の机だもの！

ばか言うな
麗子の机は
むこうだろ!
こっちは
ぼくの
机ですよ
先輩の机は
ここには
ありませんよ
何か
勘ちがい
してるんじゃ
ない?
うーむ
何か部屋の
配置が
ちがうな
麗子!
ちょっと
こい!
グイ
きゃあ
何する
のよ
うーむ!
どう見ても
本物だ
な…
ガーン
失礼ね!
ド
あいた
ひょっとして
ダメ太郎が
作ったロボット
かと思ったが
ちがったか…
あの
気の強さは
間違いないな!

麗子！ 以前おまえと 神戸《こうべ》の 実家へ 行ったこと あったよな
ええ！ あったわね
あン時は スバル360で 東名高速《とうめいこうそく》を ぶっとばして 帰ったな！ 覚えてるか？
ええ！ もちろんよ！
やはり ニセ物だ おまえら！
何者だ きさまら！ 白状しろ！
ニセ物じゃ ありませんよ 神様
あっ やはり きさまら！ 人の派出所に 入って来やがって!!
ここが ロボット派出所 なんですよ
なに!?
ひょっと して!?

あーっやはり!
おなじのを作りやがった!
ハデな物はさけてなるべく目立たぬようにおなじ物を作ってみたんですが…
よけいまぎらわしくなるだろうが!
はじめはぼくらもびっくりしました
あっ中川!?
おまえら…本物か!?
もちろん本物ですよそんな目で見ないでください
人間不信になるのもムリないわ

彼らは ロボットでなくて 人造人間《レプリカント》なんですよ！ロボット派出所の新メンバーなんです
そこまでおなじ物を作ることはないだろ！
気味悪いほどそっくりだ！
自分でも不気味ですよ
まるでザ・ピーナッツみたいよ
本当ね！
すでにどっちが本物かわしにはわからん！
こんな派出所作らせやがって！中止させるべきだぞ！おまえ！
ぼくはロボット派出所の中川ですけど
先輩本物はこっちです！
まぎらわしいからロボット派出所の中川は中川Ⓐ《エー》と名乗れ！
はい
そしておまえは麗子Ⓑ《ビー》だ！
私のほうが本物よ！

そうか！じゃあこっちの麗子が麗子Ⓑ《ビー》だ
両ちゃん残念ながら私のほうが本物よ！
だめよ！からかったら！両ちゃん本気でムキになって怒るから
ふふだってこの人すぐ信じるんだもの
このアマども！ふたりまとめてぶっとばしてやる！
きゃあ！
何してるんだ両津！
げっ部長
すいません部長！悪気はないんです！
口より先にちょっと手が…すみません
ペコ
この部長も人造人間《レプリカント》です
よろしく！
ダメ太郎よけいな物まで複製で作るんじゃない！
だって班長がいないとまずいから…

するとわしの人造人間も作ったのか!?
えっ!? 先輩のも!?
この男がふたりもいると危険なので中止した!
よかった!
するどい判断だ!
ほっ
ロボットと人間の見わけはないのか!? おい!
いたたありますよちゃんと!
左の耳を引っぱると…
グイ
作動がストップします
なるほど!
まったくロボット派出所め! まぎらわしいのをとなりに建てやがって!! また抗議のハガキが来そうな気がする!
どうかしらね!

あいた!
グイ
本物だ!よかった!よかった!
あたりまえじゃないですか!
インベーダーのように入れかわってもわからん!チェックする必要がある
あっ!?
ピタ
作動が止まった!ニセ物だ!
なーんちゃって!本物よ!
く…この悪い性格!
全面幸福
部長Ⓒ《シー》です書類を持って来た!
ぬおっ
ドキ
あーびっくりした!ニセ物とわかっていても 声と姿は本物みたいだ
ドキドキ
部長Ⓒ《シー》さんだけ 本物と少し性格がちがいますね

本物みたいな威厳が感じられない！
ピク
そうね部長さんのやさしい部分が多く出てるわ
部長©どの！ちょっと奥へ行きましょう
何か用かね!?
なんかいやな予感がするわね
先輩があの目をした時はあぶない…
すばらしい機会にめぐまれた
日ごろのうらみはらさでおくものか！
グイ
ピタ
よし！停止したぞ！
やい部長！いつもいつも怒りやがって！
怒られるほうは大変なんだぞ！わかっているのか！
重箱のスミをつっつくように人の欠点ばかりさがしやがって！欠点のない人間はいないんだぞ!!
人の生き方までいちいち指図するな！オレにはオレの生き方があるんだ!!

両津はカメと同等だ！カメと仲よくしなさい！
少ない脳みそをよけいなことに使うんじゃない
だと
脳みそが少なくて悪かったな!! 八虫類同様で悪かったよ！こら！
グイ
なんとか言ってみろ!! 平凡人生無冒険主義め!!
人形をいじめてるようでむなしい…よし！
グイ
おまえわしにあやまれ
え!?
私がなぜ!?
わしの言うことが聞けんのか
ははい
どうも申しわけありません両津さん！
どうかかんべんしてください！
ペコペコ
う～むいい気分だ！
じ～ん
それ！
パ
あいた
お礼を言うんだ！ばかもん！
ははーっありがとうございます！
ありがたきしあわせ！
ペコ
ペコ

女王様とおよび！
はい！女王様
変なこと始めてるわよ！
これから出かけてきます！
あ
ぬっ
部長Ⓒはこの姿で新宿《しんじゅく》の街を走ってくるとのことだ！
特別命令らしいので！
ゆけ！ポリスパフォーマンスを見せてこい！
はい！
ちょっとひどすぎますよ！
だまれだまれだまれ！！！
もとはと言えば部長が悪い！きのうのカミナリで私のプライドが深くキズついた！
私の復讐はまだこれからだ ストリーキングのあとはSM《エスエム》女王スタイルで警視庁の中をつっ走る そしてウエディングドレスで本署へ行き署長への鉄拳パンチ！などスケジュールがぎっしりだ！

あっ部長Ⓒ《シー》が!?
あっどうも
両津にたのまれてこの姿で新宿に…
ひどい!
よし!オレが本物の部長に電話する
ビシ
今帰ったぞ!
あっ!!きさま!!
服を勝手に着やがって!
ご主人様にさからうな!!
わしを怒らすとこわいぞ!
まあいい次だ!
裸になってこのSM《エスエム》セットをつけろ!
いいか見本を見せてやる
まず一式を身につけて…
この姿で警視庁につっこんでこう叫ぶ
いや〜んばか〜んボーナスちゃぶだい!

なんだ その顔は!? 文句あるのか!!
む? 変だな? 表情に威厳が感じられる…
ちょっと…
失礼します
ゲ〃ん
いやあ!! やはり部長でしたか
近ごろとんと目が悪くなっちゃって いやぁ は…はは…
話は全部聞いたよ
部長 誤解しないでくださいよ! これは上司を慕う部下のジョークですよ!
見てやって下さい 私は両津です
ちくしょう なんで わしが考えた企画を自分でやらなきゃならないんだ! くそ!!
この姿じゃどこに隠れても目立つしなさけない!
越後屋

★週刊少年ジャンプ1988年28号

嗚呼、愛しのF40《エフ》の巻

フェラーリ F40《エフ》

フェラーリ社《しゃ》40周年記念モデル F40《エフ》

V《ブイ》8ツインターボエンジン
排気量 2,936cc《シーシー》 475馬力
最高速度 324km/h《キロメートル・パー・アワー》

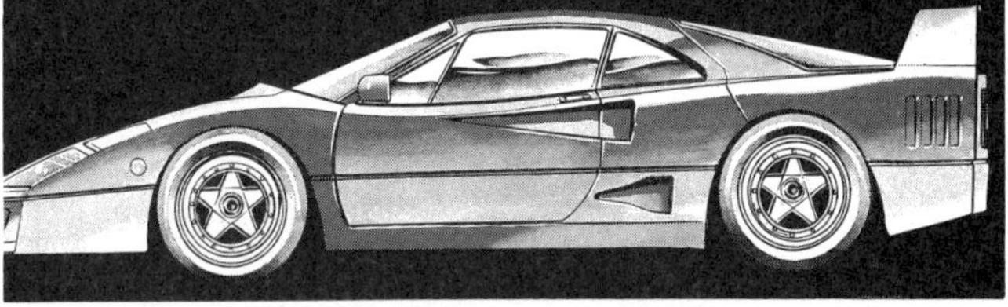

市販車のなかで
世界最速の車が
限定発売で
世にだされた
それがF40《エフ》だ!

発売と同時に
予約が世界中から殺到
しかし 国ごとの割当て台数が
あるので 手に入るとは限らない
日本での価格は4、500万円

Ferrari F40

少数 手作りという
フェラーリ社でのF40《エフ》の
生産台数は1日1.5台
オーナーのもとへF40《エフ》が
とどくのはいつの日やら…

車というより走る工芸品と
よべるフェラーリF40《エフ》!
この作品は 日本に売られた
2台のF40《エフ》の かなしい物語
なのである……

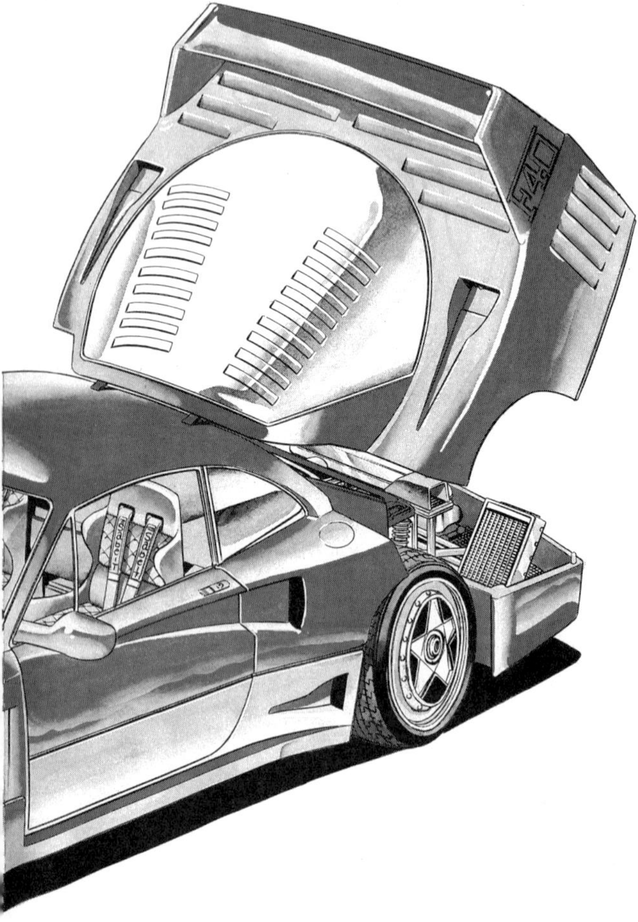
F40

嗚呼、愛しのF《エフ》40の巻

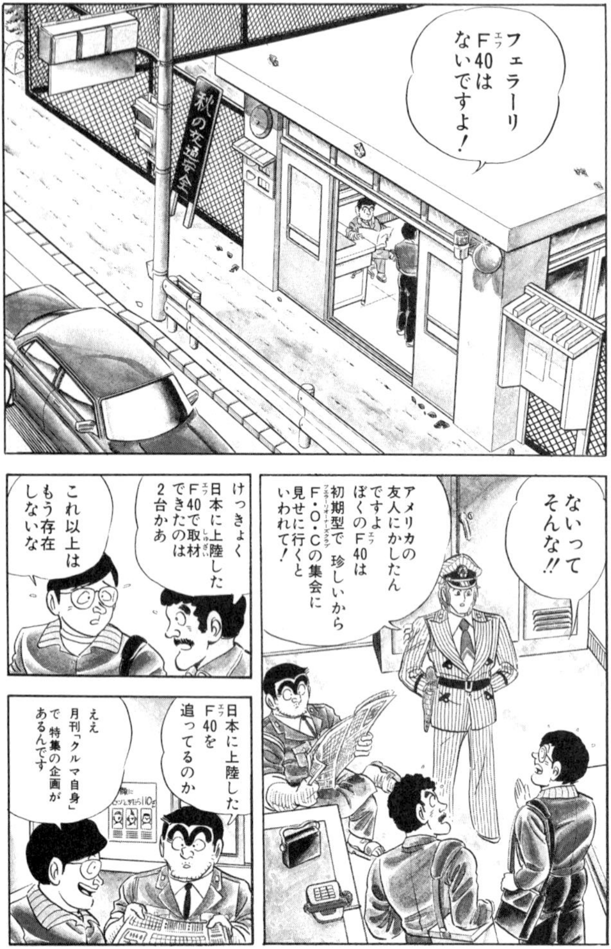

秋の交通安全
フェラーリF40《エフ》はないですよ!
ないってそんな!!
アメリカの友人にかしたんですよ ぼくのF40《エフ》は初期型で 珍しいからF・O・C《フェラーリオーナーズクラブ》の集会に見せに行くといわれて!
けっきょく日本に上陸したF40《エフ》で取材《しゅざい》できたのは2台かあ
これ以上はもう存在しないな
日本に上陸したF40《エフ》を追ってるのか
ええ 月刊「クルマ自身」で 特集の企画があるんです

現在まで東京に5台神奈川《かながわ》に1台大阪《おおさか》に3台九州《きゅうしゅう》に1台計10台のF《エフ》40が生息してます
けっこう日本に入ってきてるな!
日本と米国《べいこく》は最大のマーケットですからねスーパーカーブームの時カウンタックの保有数は日本が世界一でしたよ
日本人は値段の高い車が大好きだからな!
F《エフ》40も限定で値上がりが予想されますからね
個人並行輸入で日本に上陸させて登録せず投資として保管してる方もいるようです
限定のポルシェ959も3倍に値が上がりましたからね
米国の959オーナーから買いとってる日本の業者もいるといううわさですよ
まるで車の地上げだな!
東京の高尾山《たかおさん》の近くでF《エフ》40を買われた方もいるらしいのですが…未確認で
高尾か!
110番
危険
久保《くぼ》田《た》吾《ご》作《さく》さんじゃないですか?
えっ知ってるんですか?

大地主で 山を売るたび 一台ずつふやす 走り屋の カーマニアです
走り屋とは すごい!
ほとんどF《エフ》40の オーナーは 走らせず 自宅や 会場に展示 しちゃうんですよ
4.500万円なんて ガソリンで走る 車の値段じゃ ねえよ!
それにしても ずいぶん 山の奥 ですね
ガタ ガタ ガタ
もうすぐ ですよ
ほら あそこです
なんと! あれが オーナーの 家!?
ギイ

あんれ!! 中川だべ!
ひさしぶりだべな! 中川
あいかわらずワイルドなファッションだな
君のF《エフ》40を取材したいとのことでつれてきたんだ
月刊「クルマ自身」の山田です
エフ40!?
ああ あの新しいヘラーリのことかい よかんべ!
写真とるんだっぺか?
はい! ぜひおねがいします

納屋《なや》に入ってるだ！こっちだ
な 納屋に？
またにょうぼうのやつカギをかけちまっただな！
カチャ
カチャ
ムダなことだっぺ
うわっ
ドギュ
車道楽に理解がないんだべうちのやつは！
そ そうですか

こらこら お前ら ・・ヘラーリの上に のっちゃ だめだって いったろが！
コケッコー
コオーッ
コケコオーッ
ずいぶん F《エフ》40を 無造作《むぞうさ》に おいてあるん ですね！
手入れが めんどう だっぺよ！
ドアが かたいっぺな
ひっ
牛に当たった時 ドアの調子が 悪くなったべ！ けると一発で なおるべ！
いやあ だいたんな 乗り方で ……

車も動物といっしょだべ!! かわいがるだけじゃだめだべ!
クラッチに何か…!?
時にはきびしくしつけないと
あっ
車の中でねちゃだめだといったっぺよ! トラ吉《きち》!
まちがえてふんづけてしまうっぺよ
久保田吾作さんは元ラリー選手だったんですよ!
3年前引退して自宅で農業やりながら車道楽をしてるんです
ラリーのころから車の手入れはいいかげんでね「無責任の田吾作」って有名でした
見てくださいあれ!

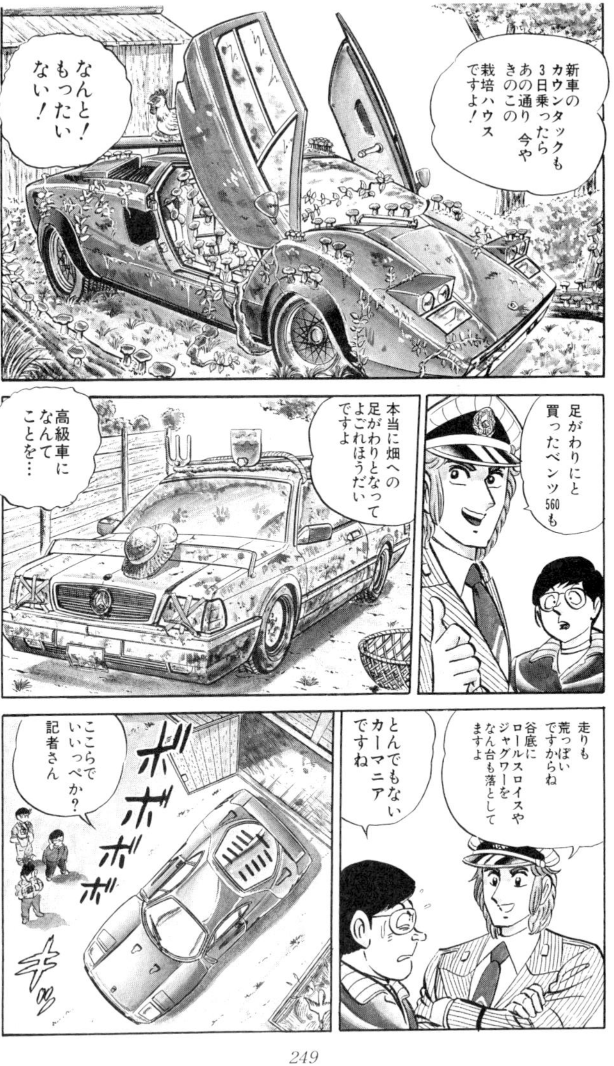
新車のカウンタックも3日乗ったらあの通り 今やきのこの栽培ハウスですよ!
なんと!もったいない!
足がわりにと買ったベンツ560も
本当に畑への足がわりとなってよごれほうだいですよ
高級車になんてことを…
走りも荒っぽいですからね 谷底にロールスロイスやジャグワーをなん台も落としてますよ
とんでもないカーマニアですね
ボボボボ
ここらでいいっぺか?記者さん
キッ

バックが農家というのもちょっとバランスが…
たまにはいいだろ!
後輪で牛のクソをふんでるんですが…
ちょっとまずいな
久保さんちょっと車を畑に移動させてもらえますか!
いいっぺよ!
ちょっと・・・ヘラーリからはなれててくんろ!
うわっ

すごい
ホイルスピンだ
地面に穴が
あいてる!!
本当に
荒っぽい
走り方だ…
あっ
やった!
えっ
あっ
F《エフ》40が
肥えだめに
はまってる
大丈夫
ですか
久保さん
ちょっと
スピン
しちまったっ
ぺよ!

うしろから押してやるからゆっくりでろ!
たのむっぺ!
一速でも馬力あっからなこのヘラーリは!
ブブブブブブブ
うわあきたねえ!
ウンコがとびちる!!
やったでられたっぺ!
もっとしずかにでろ!
ここでいいだべうつしていいっぺよ!
ウンコをふいてからでないと…ちょっと
ピース

どうも田舎の暴走族って写真になってしまうんですけど…どうします？
フェラーリの気品のある華麗さからかけはなれているな…
オーナーが思い切り田舎の兄《あん》ちゃんだからな
じゃあポーズをとったらどうだべ？
ダメ押ししてるようなものですよ
このさい車だけにしますか？
あっいかん
牛のランボルに見つかっただ！すぐにげるだっぺ！
え??
ンモー

モォ〜〜
ドゥルオオオ
赤い車を見ると追ってくるだよあの牛は！
うわあ にげろ！
ラ・ランボルはこのフェラーリ見るとなぜかムキになって追うだよ！
いかん ヤギが!!
ビイイイイ
ギャアアア
ぬおっ またスピン

中川よけろ!!
ムリです!
うわっ
うわっガケに!!
ズザザザザザ
うわあああ
天気もよくて絶好の取材日和《びより》だね!
フェラーリF《エフ》40を所有してからTV《テレビ》やカー雑誌の取材が多くて参ったよはははは!
白のF《エフ》40を所有してるのは世界でぼくひとりだからね!取材されるのもいたしかたない
カシャカシャ

かっこいい
フェラーリ
F《エフ》40だ！
写真にとっておこう
かってに写真をとるんじゃない!!
あっちいけ！
家より高いF《エフ》40をなんだと思ってるんだ！まったく今時の若いやつらは！
世界でも限られた人しか所有できない貴重な車なんだぞ！
おたくのF《エフ》40の特集なんページとるの？
30ページです！白のF《エフ》40は珍しいので4ページとってます
見出しはこうしよう
「白の跳ね馬《ホワイトホース》日本を駆ける」
若き実業家オーナー山田一郎《やまだいちろう》氏語るフェラーリは男のロマンです…と！
マイカー新聞
白の跳ね馬
日本を駆ける
フェラーリ F40
ガラ ガラ
ん？

山田さん あぶない 石が！
ガラ ガラ
あっ
フェラーリを 守る!!
ガッ
ぐふっ
大丈夫ですか 山田さん!!
ふっ このくらいの キズ！ フェラーリの ためなら いたくない
ゴゴゴ
この美しい フェラーリの ボディーに キズがつかず よかった！
ガラ
ガラ
ガラ
ぬおっ F《エフ》40!?

どけどけ
あぶないぞ!!
やめろ!
ここに落ちるな!!
ひえええええっ
F《エフ》40があああ
あああっ!!
下に車があって
よかった!
ショックを
吸収してくれたよ
世界でも珍しい
F《エフ》40どうしの事故だ
これはスクープに
なるぞ!!

★週刊少年ジャンプ1988年46号

納涼《のうりょう》花火大会の巻《まき》

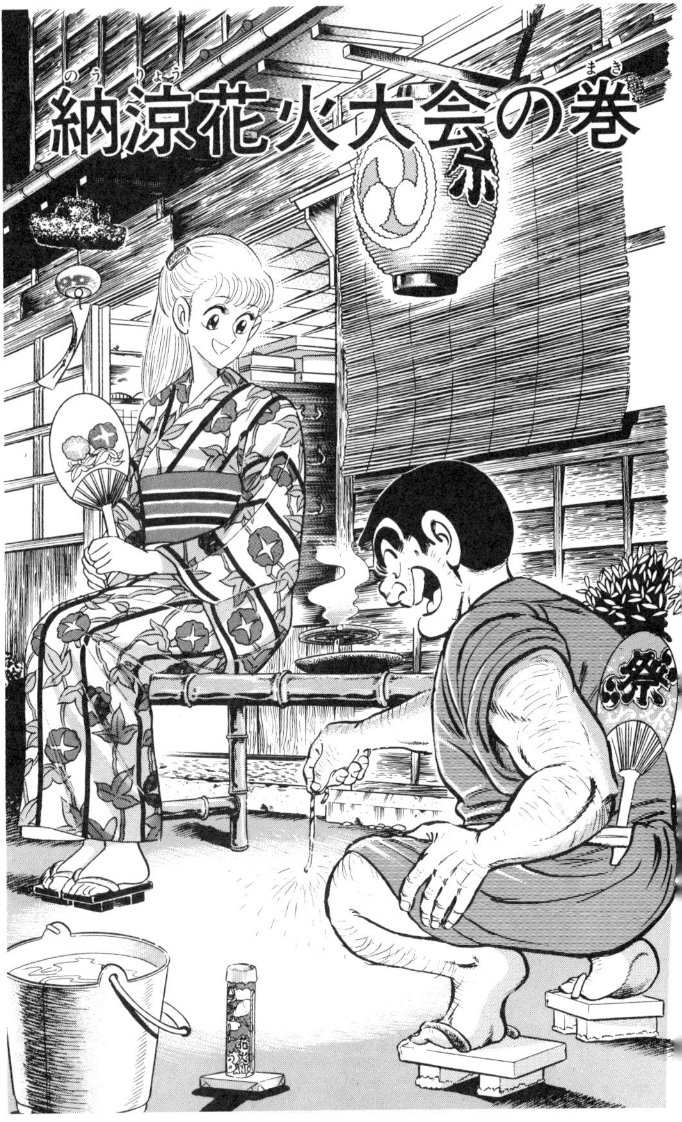

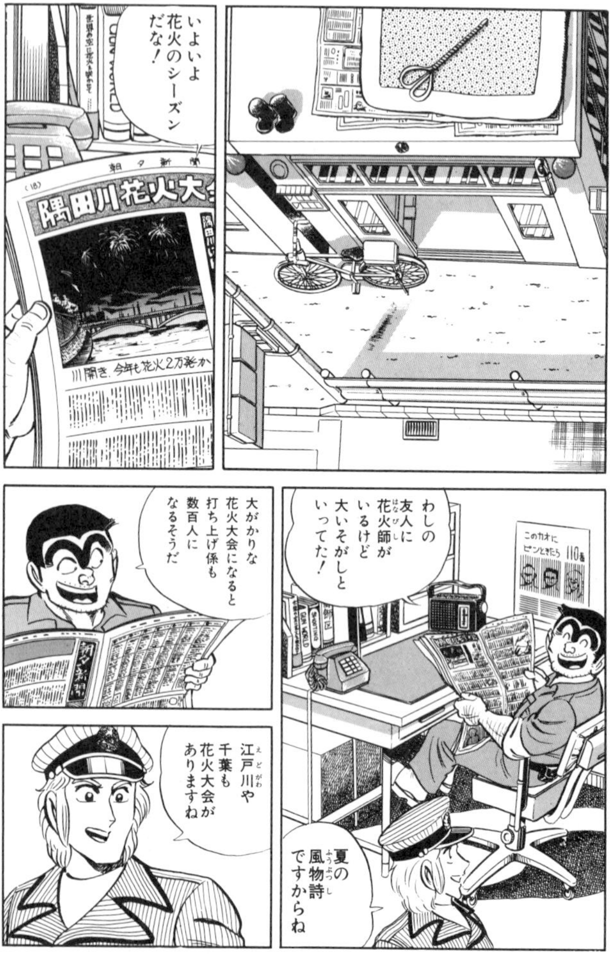
いよいよ花火のシーズンだな！
朝夕新聞
隅田川花火大会
川開き、今年も花火2万発か
わしの友人に花火師《はなびし》がいるけど大いそがしといってた！
このカオにピンときたら110番
大がかりな花火大会になると打ち上げ係も数百人になるそうだ
夏の風物詩《ふうぶつし》ですからね
江戸川《えどがわ》や千葉も花火大会がありますね

以前 部長の家に行った時 庭から花火が見えました
そうだったな
部長にお孫さんが生まれたんですって！
本当か！ そいつはよかったな!!
女の子よ これで一男《なん》一女《じょ》ね！
名まえは桜《さくら》ちゃんだって！
かわいい名まえだね
さっそくお祝いを考えないと！
なに!!
そうか！ わすれていた…
お祝いがあったんだ！
まいったな！ 油断してたよ！ よわったぞ！
お金がないんですか？

いや!! わし自身はプレゼントをあげたいんだけどね!
けっきょくお金がないんでしょう!?
まっ平たくいえばそのような…
そうだ!!
パン
すばらしいアイデアを考えた!!
今回はパスをするんだよ!
そしてつぎの赤ちゃんが産まれた時は倍のプレゼントをあげよう
そういうわけにはいきませんよ!
わたしたちはお祝いをあげるわよ!
人をさげすんだ目で見やがってちくしょう!
ない物はないんだからしかたないだろ!
ん!! まてよ!
花火を使って…
田川花火

再《さ》来週の土曜日か…もちろんいいとも！
来月までずっと家にいるからなひろみたちは！
家がにぎやかでいいですね
ところで両津はどうした？
あれ？
友だちの花火職人の所へ行くっていってましたけど…
花火職人!?
いろんな知り合いがいるんだなあいつは！
交遊範囲が広いですからね先輩は！
通学路

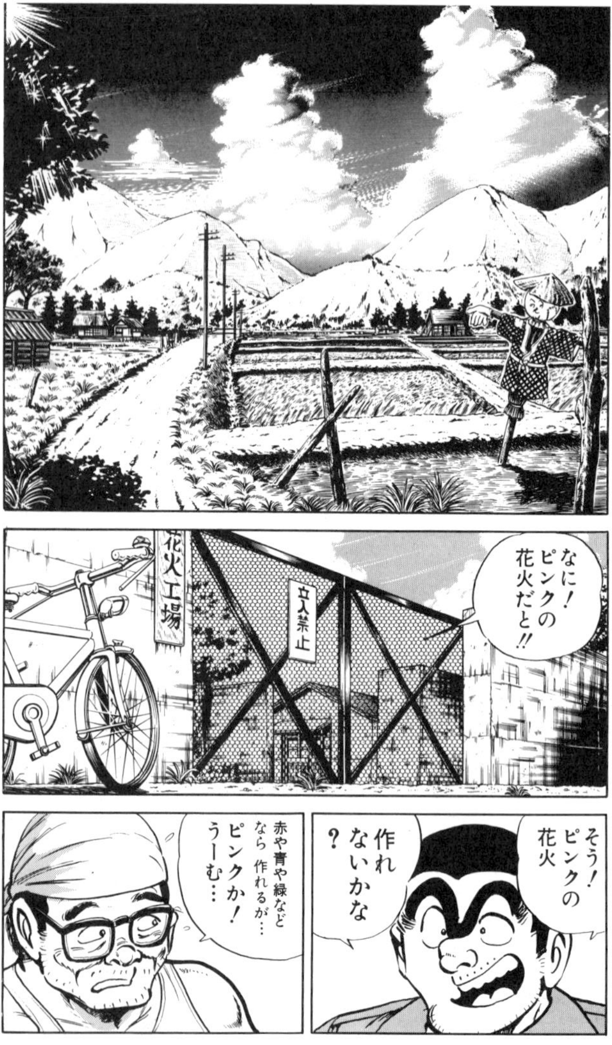
花火工場
立入禁止
なに!ピンクの花火だと!!
そう!ピンクの花火
作れないかな?
赤や青や緑などなら作れるが…ピンクか!うーむ…

赤に白をまぜればピンクになるだろう!
絵の具のようなわけにはいかんよ!
東京江戸屋
五号玉
八号玉
赤と銀を使用して作ってみるよ
よろしくたのむ!
見ての通りすべて手作りだからな!この大きさでも五日はかかるんだ
そうか!しかたない!
できれば三尺玉《しゃくだま》のような巨大な物を作ってほしい
ムチャいうなよ両さん!

そんなに 作るのに手間がかかるんじゃ千葉の花火大会のは間に合うのか？
千葉のならもう全部作ってあるよ
奥のブロックべいに囲まれた倉庫があったろ？あの中にしまってある
へえ！あんな遠くに！
花火大会 8月24日
火薬というのは扱い方によっては危険だからな
今 作ってるのはどこで打ち上げるやつなんだ？
これか？これはオーストラリアだ
え!? 外国かよ!?
花火職人が夏だけ花火上げて暮らせたのは江戸《えど》時代の話！
今はそうはいかんよ
オーストラリアだけじゃなくアメリカ ブラジルアフリカなど花火を かついでいろんな国へ打ち上げに行く！
夏だけの気楽な商売だと思っていたがけっこういそがしいんだな

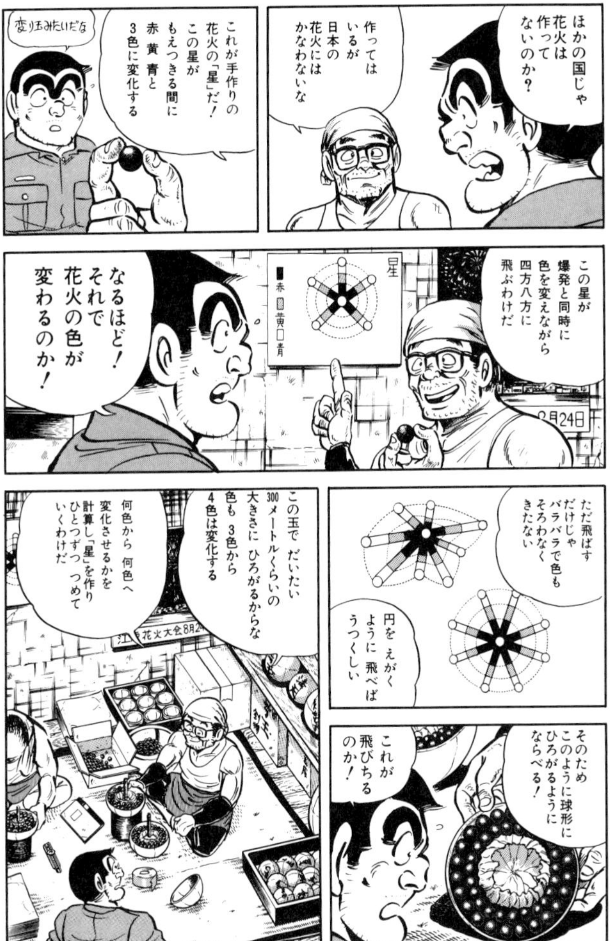
ほかの国じゃ花火は作ってないのか?
作ってはいるが日本の花火にはかなわないな
これが手作りの花火の「星」だ! この星がもえつきる間に赤 黄 青と3色に変化する
変り玉みたいだな
この星が爆発と同時に色を変えながら四方八方に飛ぶわけだ
星
赤 黄 青
月24日
なるほど! それで花火の色が変わるのか!
ただ飛ばすだけじゃバラバラで色もそろわなくきたない
円をえがくように飛べばうつくしい
そのためこのように球形にひろがるようにならべる!
これが飛びちるのか!
この玉で だいたい300メートルくらいの大きさに ひろがるからな 色も 3色から4色は変化する
何色から 何色へ変化させるかを計算し「星」を作りひとつずつ つめていくわけだ
花火大会8月2

日本の花火職人の芸の細かさは世界有数だ
色が つぎつぎに何色も変化する「星」を 作れるのは世界で日本だけだ!
だからこそ世界の人びとに日本の花火を見せに行ってるんだよ
なるへそ!
手作りでひとつずつ作る作業は大ざっぱなアメリカ人や気の短いイタリア人などとてもマネはできんよ
そう!まさに職人わざだ
ピンクの花火も気合い入れて作ってくれよ
今 仕事がたてこんでいてな…
実は来週の競馬で すごくいい情報が入ったんだ!
本当か!ぜひ教えてくれ!!
ま おまえさんの花火の進行ぐあいで教えるかどうか考えよう!
うーむひれつな!

通学路
ふざけて道路にとびだすな
パパン
スパン
なんでスバル360で部長の家へ行くんだよ! フェラーリはどうした?
たまにはなつかしいスバル360もいいでしょう
カク
カク
カク
スバル360はサスがやわらかすぎて気もちが悪くなるぞ
カク
カク
バカにゆれると思ったら…パンクですよ!
なに!?
・・・・このだだっ子ぶりがにくめなくていいですね
ちっともよかない! 早くなおせ!

いやあ よくきて くれた!
今 ねている ところ だよ
わざわざ きていただいて すみません!
本当に この家は 遠いですよ 地価が 下がった そうですね このあたりは 不便で!
先輩!

いやあ かわいい もんですな!
こら! さわるなら 手を洗って からにしろ!
ちぇっ
派出所の みんなから お祝いを!
気を 使って いただいて すみません
部長 私も プレゼントを もって きました!
ダダダッ
ドタバタ 走るな!
これ! 桜ちゃん に!
ぬっ
友だちに 花火職人が いましてね そこで もらってきた んです
両津らしい プレゼント だよ!
なんだ これは?
見ての 通りの 花火です!

そういえば今夜は花火大会ね!
うむそうだな!
みなさんお食事の用意ができましたよ
やった!!
今日いっきに栄養をつけようと思って きのうから何も食べてないんですよ!!
部長の家に来てたのしみは食事くらいですからね!!
がははは
両ちゃんつれてこないほうがよかったかしら?
よかったな!いちだんと図ずうしさにみがきがかかった
ドーン
ドーン
わあきれい!
この場所から花火がよく見えますね!
ドーン
本当きれいね!!

花火大会の広場は人がいっぱいだよ
ドーン
ガブ ガブ
ここなら自宅で見られるからいいですね
シーーン
もう終わりか…
いい花火だったな
ほんとね
部長ちょっとおまちください!
なに!?
ひろみさんもしっかりと見ててくださいよ!
えっ!?
中川今なん時だ!?
9時5分です
さあ上がるぞ
ヒュルル…

なんだあの花火は？
ピンクだわ！
あれが私からのお祝いの花火です!!
桜ちゃんの名に合わせた桜色！

形に のこる だけが プレゼントじゃ ありません!
あの 光かがやく 一瞬の美しさ 桜ちゃんも そんな女性に なってほしいとの 願いが こめてあります
それで 花火師の 所へ 行ってたのか…
すてきな 演出ね
両津……
おまえって やつは…
じ〜ん
今まで 誤解して いたよ 悪かった
私は よく 人から誤解 されやすい 体質なんです
本当は すごく まじめで すばらしい 人間なんです
なんか月かけて 作った物でも 夜空でかがやくのは ほんの一瞬! その一瞬に 花火職人たちは 情熱を託して いるのです
だから人間 一瞬 一瞬 大切に生きねば いかんのです!

先ほど もってきた 花火は 私の作った 品です
そう だった のか！
本当は 素人《しろうと》が花火を 作っちゃいけない のですが 目を ぬすんで作って しまったのです!!
まあ きれい！
せんこう花火の ような可憐《かれん》な おかあさんにとの 願いをこめて 作りました
どうも ありがとう
この花火は なんだ？
あっ それ ですか？
これは 部長の花火です!!
大原部長㊗花火
両津作
部長には 男らしい 打ち上げ花火が 似合うと思い まして！
それは すごいな！

★週刊少年ジャンプ1988年35号

昭和30年代夏祭り
金魚すくい
中村屋
ここもやられている!!
山田屋
いったいだれだ!! こんないたずらするやつは!
勘吉!! やばくなってきたぞ!!
ガサ
ガサ
そろそろやめとこうぜ!
大丈夫だって見つかりゃしないよ!

我《わ》がなつかしき
少年時代の巻《まき》
中村屋
見ろ!2本つないだぞ
これで飛距離はのびて威力も増すぞ!
いいかよく見てろ!
祭
太田屋
あっ

特別企画《とくべつきかく》
両《りょう》さんの少年時代

今、明かす！
なつかしの少年時代
ごゆっくり、どうぞ!!

すごいな!!
さすが
勘吉だ!!
エヘン
そうとも
オレは
天才だから
な!
かして
やるよ!
やってみな
あっ
いけね
もう矢が
ない!
オレもだ
弾丸補給しに
行こうぜ!
よし!
行こう
行こう
おじさん
矢を50本
ちょうだい!
あいよ
ふき矢
ぼくは
15本!
見つけ
たぞ!!
やはり
おまえたちか
ところ天
あ!?
いけねっ
!

ザッ
えいっ
パリッ
ゴホッ
うわ
なんだ!?
豚平《とんぺい》!
珍吉《ちんきち》!
にげろ!!
こら!
まて!!
ドドッ
ダッ
ダダッ
お好み
ダッ
うわっ
つかまえたぞ!
こいつっ!
うわっ
わた菓子の
機械に
墨を入れた
のも おまえ
だな!
ちがうよ
あれは
勘吉が
やったんだ!
神社の
お賽銭《さいせん》を
とったのも
おまえか
あれは
珍吉
が…!

豚平め！つかまりやがった!!
あいつ太りすぎだよ！だからうごきがにぶいんだ！
忍者として致命的だな！にげ足がのろいなんて！
まったくだ！
ドドーン
ソースせんべい
たこ焼き
まいったな3人分怒られちゃったよ！
勘吉たちどこかな？
コン
あた！
相手にかみついてでもにげだせよ！ドジ!!
ペラペラとなんでもしゃべりやがって！うらぎり者め！
パコ
ごめん！今度から気をつけるよ！
あっそこにいたのか!!

子ども神輿《みこし》は今年は中止だな…
バカ
あちこちガタガタだかついでてこわれたらあぶないい！
なん度も修理に出したからな来年は新しいのをひとつ注文しよう！
町内の子どものかつぎ方が荒いすぐ喧嘩《けんか》神輿でぶつけるからな
ガラガラ
つくだに屋の銀《ぎん》さんのせ・が・れだろ！あれが神輿の寿命を縮めたな
ガサ
ガサ
やばいかくれろ
!!
宮《みや》の中に入って何してたのかな？
カギをしめてないぞチャンスだ
ガラ
やったぜ!!宮出しの前に神輿とご対面だ!!
やったあ！一番のり!!

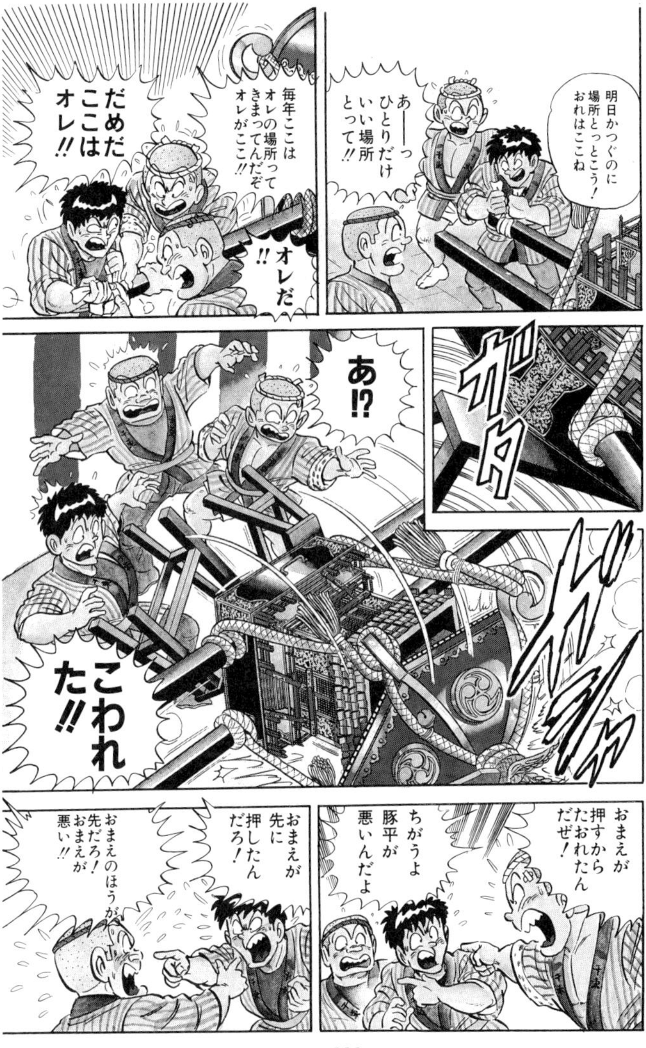

明日かつぐのに場所とっとこう！おれはここね
あーーっひとりだけいい場所とって!!
毎年ここはオレの場所ってきまってんだぞオレがここ!!
オレだ!!
だめだここはオレ!!
ガタ
あ!?
こわれた!!
おまえが押すからたおれたんだぜ！
ちがうよ豚平が悪いんだよ
おまえが先に押したんだろ！
おまえのほうが先だろ！おまえが悪い!!

とにかくおこそう!手伝えよ!
そそうだな!
やねが完全におれちゃったな……
もうなおらないぞ!
勘吉どうしよう!?
勘吉!!
よし!
八丁目の神輿ととりかえよう!
え!!
喧嘩神輿で なん度か闘ったことがあるけど うちの神輿と うりふたつなんだよ!
こっそりととりかえりゃ気づかれないよ
むこうの神輿だって神社にしまってあるだろ!
カギくらいオレが開けるよ心配ない
珍吉おまえん家にリヤカーあるだろ?
コクリ
よろず屋
祭
今夜12時にもう一度ここに集合しよう!
わかった!

父ちゃん ちょっと聞いていいい?
なんだ? 勘吉
その勝 森の石松は…
ペンペン
町会の子ども神輿さいったいいくらぐらいするのかな?
そうだな 今だったら……
30万円※くらいはするだろうな
ブーッ
勘吉!! おまえ何か悪さしたのかい?
なんでもないよ母ちゃん!
そういえば夜祭りで兄ちゃんたちお宮の回りをウロウロしてたでしょう!
いったい何してたの?
ギク
きさま! 人前でそんなこというんじゃないぞ わかったな
あいたたた…
!!
こら 勘吉 金次郎《きんじろう》の首をしめるんじゃないよ!
あいたっ
カン

※平成元年現在、約400万円位。

よろず屋
ボーーン
ボーーッ
川上
ボーン
ボーーン
リーリー
ふろしきはどうしたんだよ珍吉!!
いけね!わすれちゃった!
このままじゃ目立つな…
夜中だから大丈夫だよ!

あっ
やばいっ！
交番の前
通ると
何か聞かれ
そうだな！
お巡りさん
こっちを
見てるぞ
おい！
おまえたち
何をはこんでるんだ？
きたっ
にげろ！
ひゃあ
そんなに
押すなよ
おい！
うわわ
わっ!!
うわっ
いて！
いてて…
血が出た!!
スピード
出しすぎ
だよ…
タイヤが
とれちゃった
ぞ！
あーーっ
ひどい!!

どうしよう！父ちゃんにだまってもち出したリヤカーなのに！
ガタ ガタ
こりゃだめだおれてるものな！
どうする？
ここからは神輿をかついで行こう！
え!!かついで!?
リヤカーあそこにかくしといて大丈夫かな？
心配ないよあとでまたとりにくればいい
じ…神社はまだかよ？勘吉!!
はぁ
はぁ
はぁ
ちょちょっと休まないか…勘吉
そうだな休むか！
もう10年分くらいかついだな
肩がバラバラになっちゃうよ！
ハラへったなあ…
おむすびでももってくればよかった…
ん…
ゴソ
ポケットにキャラメルが入ってた！
本当か！

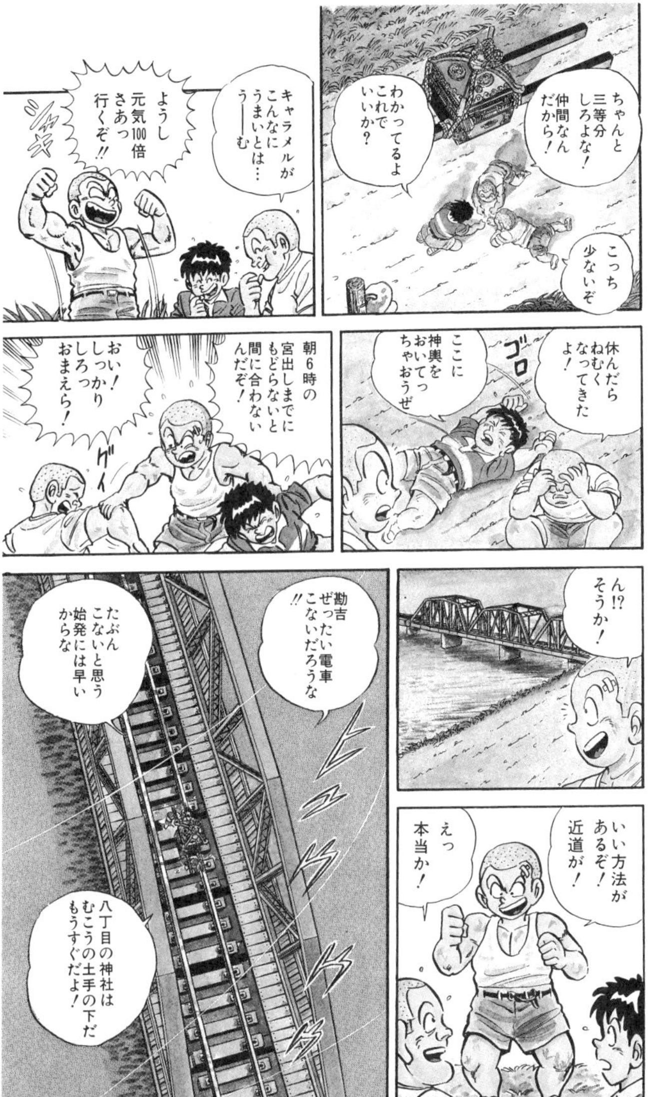
ちゃんと三等分しろよな!仲間なんだから!
わかってるよ これでいいか?
こっち少ないぞ
キャラメルがこんなにうまいとは…う――む
ようし元気100倍さあっ行くぞ!!
休んだらねむくなってきたよ!
ゴロ
ここに神輿をおいてっちゃおうぜ
朝6時の宮出しまでにもどらないと間に合わないんだぞ!
グイ
おい!しっかりしろっおまえら!
ん!?そうか!
勘吉ぜったい電車こないだろうな!!
たぶんこないと思う始発には早いからな
八丁目の神社はむこうの土手の下だもうすぐだよ!
いい方法があるぞ!近道が!
えっ本当か!

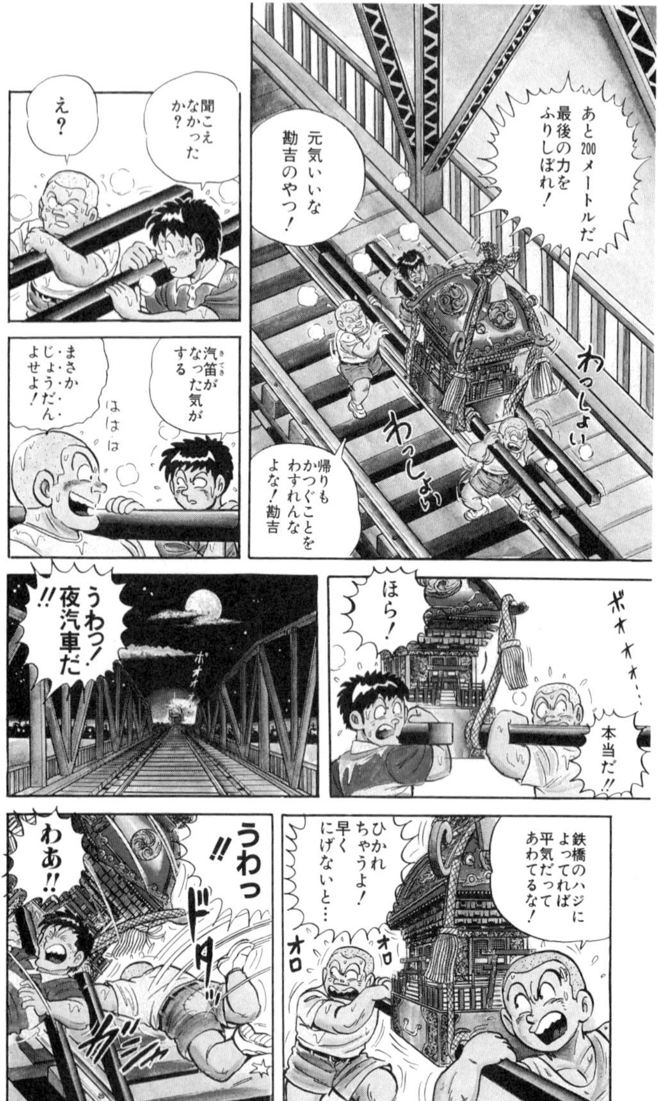

あと200メートルだ 最後の力をふりしぼれ!
元気いいな 勘吉のやつ!
わっしょい
わっしょい
帰りもかつぐことをわすれんなよな! 勘吉
聞こえなかったか?
え?
汽笛《きてき》がなった気がする
ははは
まさか・・・じょうだんよせよ!
ほら!
ボォォォォ…
本当だ!!
うわっ!夜汽車だ!!
ボオオ…
鉄橋のハジによってれば平気だってあわてるな!
ひかれちゃうよ!早くにげないと…
オロ
オロ
うわっ!!
わあ!!
ドタ!!
ズシャ

あ!!
かつぎ棒がまくら木のすきまに!!
大変だ!!
そっちをひっぱれ!早く!!
ググッ
わかった!いちにのさん!!
ボオオオオ
きた!!
ガタン ガタタン ガタン
だめだ!勘吉 ガッチリはさまってうごかない!
ガタタ
ちくしょうこんな所で!
ガタン
ガタタン
ギシ ギシ
ガタンガタン
ガタタン
ガタン
だめだすてよう!!
えーーっ!? 神輿が…!!
命のほうが大事だろ!!にげろ!!
うわっ
ダーッ

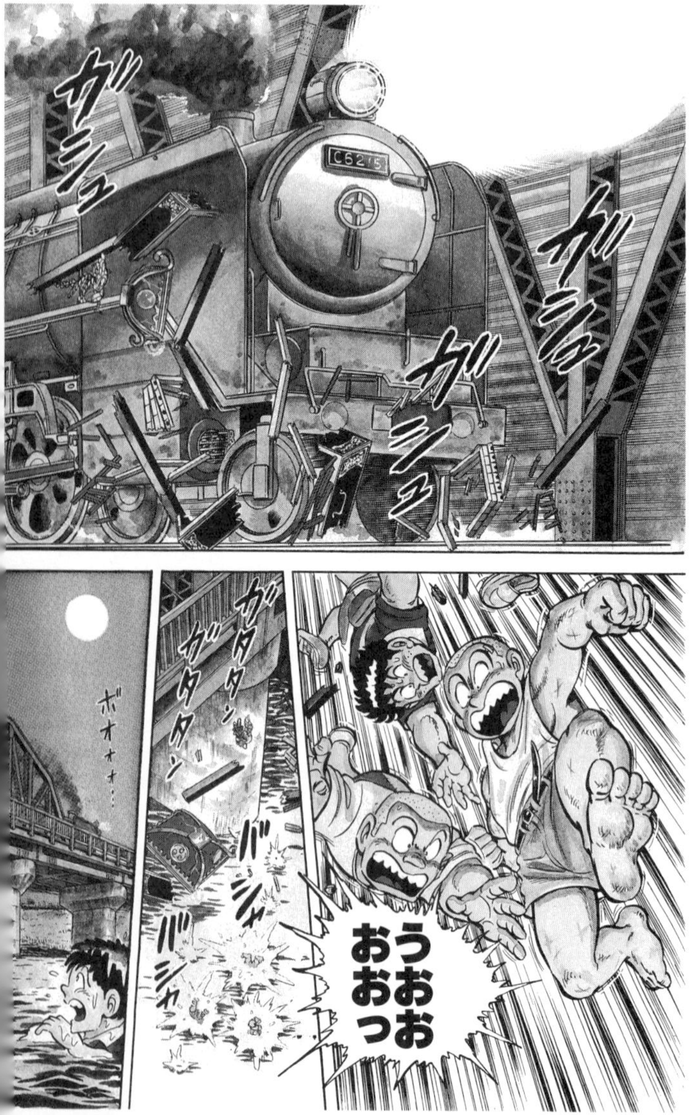

ガシャ
ガシャン
ガシュ
うおおおっ
ガタタン
ガタタン
バシャ
バシャ
ボオオオ…

ガシャ
ガシャ
ちくしょう!!
せっかく苦労してはこんだのに……
これが飛びおりた時のキズだ!
キズのひとつひとつ全部おぼえてるよ わしの体はゴルゴ13《サーティーン》のようにキズだらけだ!
あぶないことするわねえ
ガキのころはムチャばかりしてたからなよく命があったと感心するよ!
けっきょく神輿はどうしたんですか?
朝がた神社にあやまりに行き神輿をこなごなにしたといったら神主《かんぬし》が腰をぬかしてな!
そのあとは国鉄《こくてつ》から怒られるわ警察から怒られるわ! 町会 学校 神社など怒られまくった!

神輿はもう御用ずみだったからなんとか親があやまってゆるしてもらえた!
両ちゃんみたいな子を育てたご両親は気の毒ね! やすらぐ日びがないわね
神輿をすりかえにいかなけりゃこわさずにすんだのに
まぁまあ結果的にはな!
全然変わっとらんな
あっ部長!!
おまえは昔からごまかしの人生だ! 生き方が子どものまんま成長なしだな!
何いってるんです部長!! 私は真実ひとすじのキズつきやすい生き方ですよ!!
体のキズは多いけど心にキズなんかひとつもなさそう…

★週刊少年ジャンプ1988年38号

ギャンブルに開眼《かいげん》の巻《まき》

うーむ
めんどうだ!
マンガ 170円
エアガン 13,000円
ミニカー 9,800円
725円
おかしいな! 金が全然のこらん!
どこへ行ってしまったのだろう?
なんの計算してるんです先輩!
金がなくなるんだ! 派出所にドロボウでも入ったんじゃないか
先輩の場合すぐギャンブルに使ってしまうから!
そんなことない! ギャンブルではかなりもうかっているはずだ!
勝った時だけ印象に強くのこり負けた時はすぐわすれるのが人間ですよ
計算してあげますよ!
そうか! じゃあたのむ!

競馬など一回で だいたいいくらぐらい使いますか?
競馬では大レースをのぞいて平均15万円くらいかな
競輪やオートレースは一回 8万円くらいで…
パチンコは月に10万くらい使うな
あきれた! そんなにお金を使うの?
全部とられるわけじゃないぞ 勝てば なん10倍にもなる!
でもとられるほうが多いんでしょう
まあ… 長い目で見るとそうかもしれんが…
ダービーや菊花賞《きっかしょう》などの大レースはいくらぐらい?
そうだなぁ 場合によって30万円くらい使うかな…
信じられないわ ドブにすてるようなものよ!
だから30万使っても元は とれるんだよ 当たる馬券もあるんだから!

プラスマイナスゼロならば遊んだ分だけ得だろうが!
ぜったいマイナスのほうが多いわよ
競馬は土日の週2回として…えーと…
どうだ?でたか!?
年間でギャンブルに約2、400万円使ってますね
なに!! 2、400万円だって!!
どこにそんな金があるんだよ!!
ギャンブルでもうけた金でまた賭けたり人から借金したりして毎回コツコツ使ってるんですよ
月賦と同じで少しずつ払っても累計《るいけい》してみるとものすごい数字になりますからね
2、400万円も使ってたのか…この一年で…
千葉のほうなら家が買えちゃうわよ!
う〜む ギャンブルをはじめた25年前から計算したらとんでもない金額になるな…

5億円以上ギャンブルにつぎこんでるだろうね
あきれてものもいえないわ
さすがに考えこんでいるわね!両ちゃん
これを機会にギャンブルをやめるんじゃないの?
よし!きめた!!
わしは 今まで競馬を遊びでやっていたがまちがっていた!
これからもっと真剣にやらねばいかん!ギャンブルを仕事と思わないと!
中川くんありがとうおかげで開眼《かいげん》した!!
ギャンブルは遊びじゃないことにやっと気がついたよ!
ガッ
逆効果だったみたいだね
どういう考え方してるのかしら…

亀有公園前派出所
ジリリリン
おっ 橘《たちばな》か！
どうだ！ レース当日の天気は？
チャッ
南の風 風力5 m《メートル》 降水確率10 %《パーセント》 気温25度 上天気か なるほど…
前日が雨だから 馬場の状態はよくないか！ サンキューッ
競馬

上天気となると人手も多く馬券も売れる！
2万人きたとして人気の馬を買って…オッズが…
麗子！ちょっとどいてくれ！
なにするの？
去年一年間の競馬新聞をすべて保存してあるんだこの中に！
あった！アイボービートのデータが！
去年は3着に入ってたのか！
ずいぶんマメに調べますね
今度から馬券は一本買いにしたからな！
いっぱい馬券買えば当たる確率も高いがはずれ馬券がムダ弾で終わる！
その金をひとつの馬につぎこんだほうが当たったら配当が大きい

しかし当たるとはかぎらないですよ…
だから穴ねらいはやめて 本命を買うんだよ！
本命は配当もひくく 2 3倍ていどだ しかし100万円ぶちこめば 3倍でも300万円になる
1万 2万であちこち買うより『堅い一本買い』のほうが確実だ！
来週出るボーナス80万円を本命にかける！入れば少なくとも3 4倍だ！
その金をまた全額 秋の菊花賞 冬の有馬記念《ありまきねん》につぎこめば 倍々で もうかる
今までつぎこんだ5億を ぜったいとりもどすからな！
ガッ
あまりムチャしないほうがいいですよ
ムチャどころか部長の生き方みたいに慎重で確実な石橋たたきの買い方だぞ！おもしろくもなんともない
〝穴ねらいの両さん〟としては不本意だがしかたない！これからは地味にやるよ！
ボーナスを全部つぎこんでどこが地味なんだろう…
理解しがたいわね！

今 本庁にきてんだよ
3時発走の10レース買っといてくれよ 2-6 80万円!! な!!
警視庁《ここ》をぬけ出せないんだよ!! 4時までかかるらしいんだ!
あまり長話できないんだって!! 部長もいっしょだから!
帰ったら80万円わたすよ!
どこへかけてるんだ両津?
いや! べつに!
ガチャ
どうも落ちつかんなここへきてから!
そ そうですか!? 本庁にきてあがってるんです はは…
切れちゃった!

先輩 なんだって？
馬券を 買っといて くれって！
住所録
本庁へ 行っても そういうことは わすれないんだな！
仕事のことは すぐ わすれる くせに…
ん？ どうか したの？
なん番を買うのか わすれちゃった！
え!?
番号 わからなけりゃ 買えないよ！
いつも たいしたこと いわないから つい聞き流して しまって…
6−4 だった かしら…
8−3 かな？
数字ひとつで 全然ちがうから まちがってたら 大変だ！

先輩ギャンブルに関しては人間が変わるからね！怒るとすごいよ！
こっちから電話で聞けないし…
今回の競馬は命をかけてるからな…ヘタなことはできないし…
どうすればいいかしら？
よし！考えられるすべての数字を買っておこう！
え？
キ
先輩が帰ってきた
全部買ったのはいいけれど…
両ちゃんのがはずれてる可能性もあるわよ！
じきわかるよ！

おそく なって すまんな
部長 おつかれさま です！
ニカッ
当たった らしい…
バッチリ 買っといた ろうな
それは もう！
ほら！ 80万円!! ボーナス袋 ごと！
あっ どうも！
早く 当たり馬券 ちゃん！ よこせよ！
あの なん枠と なん枠 でしたっけ？
まさか！ 買って ないのか おまえ！
いえ！ 買い ましたよ 念のために！
2−6と いったろ ちゃんと！
やはり 2−6 でしたか

はい！これですね！
やった!! 2-6ちゃん！
大切にポケットにしまっておこう！
いくらぐらいもうかったんですか？
5倍になった400万円だよ！すげえだろ！
さっそく競馬場へ行って現金にとりかえてくる！
ガチャッ
2、880万円も使わせてしまってごめんなさいね
なーにフェラーリを買ってぶつけたと思えばいいさ それより先輩の怒りのほうが おそろしいからね
当たっていたか…すべての馬券をおさえておいてよかった
36通り全部買ったんでしょう！

ロック
フラワー
通り
20
ASAKUSA VIEW HOTEL
でも両ちゃん！当ててしまうとはさすがね！
レースのビデオまで見て研究してたからね あの熱意の1/1000でも仕事に役立てればいいのに…
しょっぱなから400万円になるとはすごいな！
つぎのレースは400万すべてつぎこんでやるぞ！
これこそ私の才能を生かした仕事だ！
残業やるよりもよっぽどいいや！
5億円とりかえすのもそう遠い日じゃないぞ！
人生はバラ色だイェーイ!!
シャカカ
シャカカ
シャカカ
ドカッ
あいたた有頂天になりすぎた！
前方不注意だ！

あっ!? ない!
大切な馬券が!!
あったあそこだ!!
あっ!
まてこら!!
どこまで飛んで行く気だ!
よし!止まった!
そこでまってろよ!
今とりに行くからな
400万円の馬券だからな
なくしたら大変だ!
あっ!!
うぬ!なめやがって!
ピタッ

こいつっ!!
ダッ
まて!!こら!
この馬券!!
うわっと!!
あぶねえ!
あっやばい!
火の中へ!?
燃えたらパアだ!!
命にかえてもとる!!
うわっ!

ゴ ゴロ ゴロ
うおっちちち
しまった! くそ!!
熱さでつい手をはなしてしまった!
ようし! 見ていろよ!!
驚異の跳躍を!
大ジャンプ!
パッ
やった!!
くそ! なんてこった!!
文
また手をはなしてしまった

だいぶクシャクシャになったから飛び方が悪い
もうひと息だ!
ゴゴゴゴ
工事中
工事車輌以外
通行止
ヒラリ
あーっ!!
コールタールの中へ!!
今度ははなさん!
うぎょぎょえええ
な…なんだこの男は!?
自分から手を入れましたよ!?
あちちちち

これが
馬券
だって!?
コールタール
漬けの上
にぎりつぶして
しまったのよ!
競馬場にも行って
当たり馬券だと主張
したけどダメだった
らしいわね X線《エックス》など
使って調べたみたい
だけど…
さすがの
先輩の説得でも
ムリだろうな
ただの黒い
カタマリだからね
さすがに
落ちこんでるわ
これで もう
ギャンブルは
やめるんじゃない…
禁煙
そうだね
2日間くらいは
ダメージがあるけど
3日目から また
懲《こ》りずに
手を出すと思うよ

★週刊少年ジャンプ1988年32号

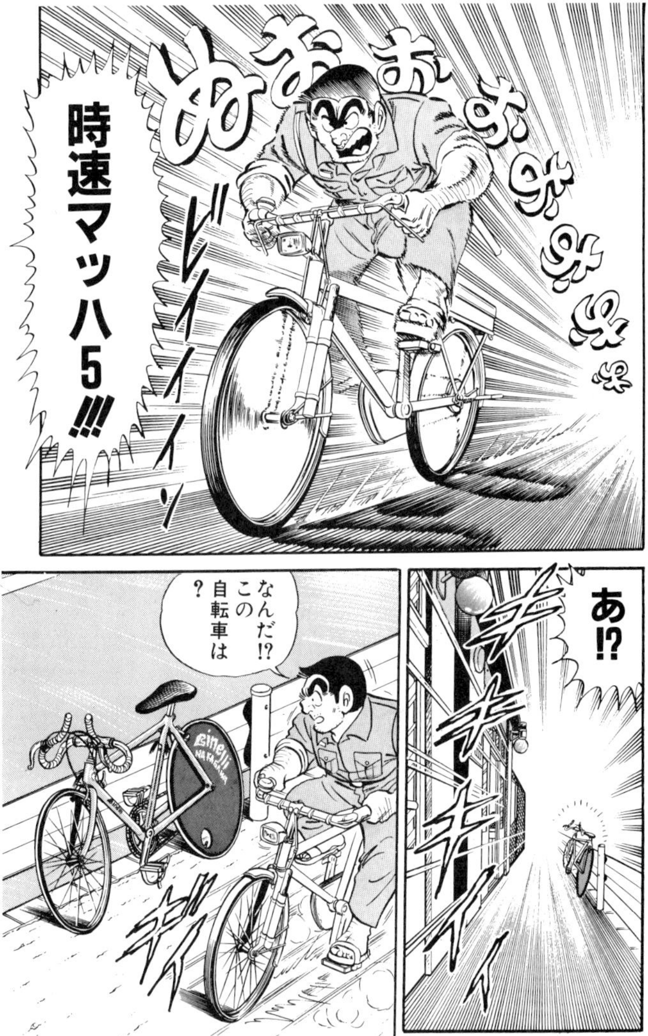

開発！人間フレームの巻

フレームの巻

『モノコック・ロード』麗子用

タイヤ(コルサCX)重量9.8kg《キログラム》

チネリ社『ロード・カスタムSP《スペシャル》』中川用
(イタリア)

チューブ(チネリ)タイヤ(クリテリウムセタエキストラ)重量9.8kg《キログラム》

開発！人間

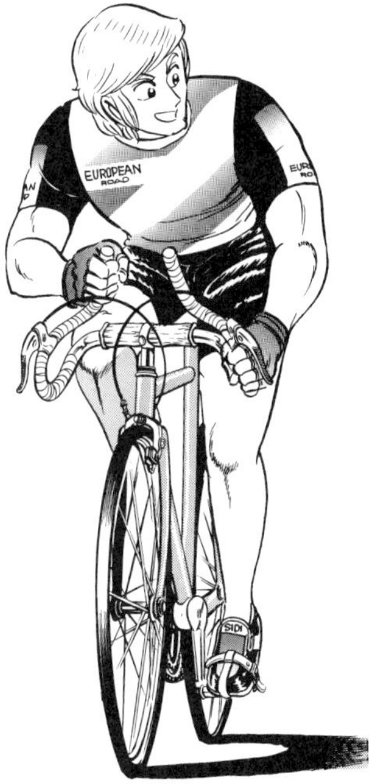
EUROPEAN ROAD
SIDI

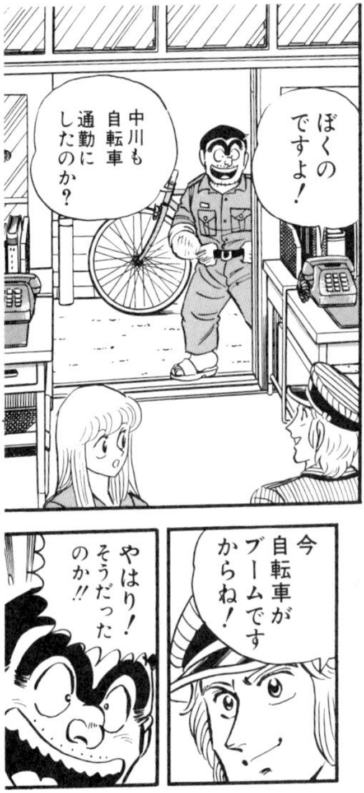
ぼくのですよ！
中川も自転車通勤にしたのか？
今自転車がブームですからね！
やはり！そうだったのか!!

★レース仕様車紹介★

スイフト工業《こうぎょう》（日本）　『千《ち》鳥《どり》』　両津用

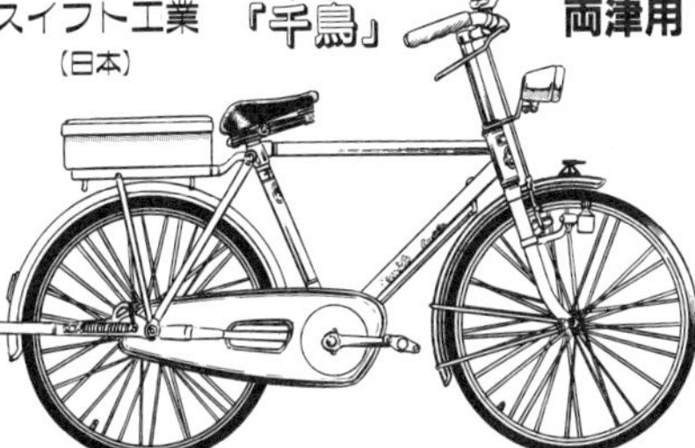

新聞配達など実用本位。15年以上もつ頑丈さ。

コルナゴ社（イタリア）

樹脂成型モノコックフレーム。

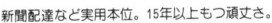

近ごろ競輪場がこんでいてな! 競輪がブームとは知らなかった!
ちがうわよ! スポーツサイクルのことよ!
オーダーして自分だけの自転車を作ってもらうのが はやっているでしょう
そうか？ 全然知らん!!
そういや ずいぶん変わってる自転車だな! これもオーダーしたのか？
ええ ロードレース用に注文して 2年間待って きのう やっと とどいたんですよ!
わたしもオーダーの自転車持っているけど! 圭《けい》ちゃんのはチネリ社製だから高いのよ!
またとんでもない値段なんだろ!?
輸送費などふくめて300万円ほど…
ふざけるなこら!!
車やバイクじゃあるまいし骨組みだけの自転車でどうして そんなに高いんだよ!
イタリアのチネリ社と言えば自転車づくりの名門ですよ
ヨーロッパではツール・ド・フランスやジロ・デ・イタリアなど自転車レースがさかんなんです レース期間 約2週間はテレビや雑誌など大さわぎですよ
そのためロード・レース用の自転車工房があるんです コルナゴやデ・ローザなど数多くね

速く そして勝つためのレーサーを作りつづけそれらの技術が製品にフィードバックされ一台一台手づくりで生産されているから高価格になってしまうわけです
なるほどポルシェやフェラーリみたいなものだな!
もっとシビアよ!依頼者のひとりひとりに合わせて製作するのよ!
どういうことだ!?
つまりですね
依頼者の身長・体重手足各部の長さはもちろん筋力や骨格 その人の基礎体力 心肺《しんぱい》機能握力などなど…
すべてのデータにもとづいて 一本のチューブからフレームを作って行くわけです
ほら!
このとおり!ピッタリ!
ピッ
自転車は人間の力で走る乗り物ですからねその人の運動能力をムリなく タイヤへ伝えるのがロード・レーサーの役目ですよ
そう思って見るとすごく見える…うーむ
データの測定や使用目的など打ち合わせにイタリアの本社までなん度か行きましたからね
そこまでして作ったのか!?

いくら高価な外車やバイクでも万人むけでしょう
熟練の職人たちが・・・・・・その人のためにだけに製作してくれる自転車《ロードレーサー》はある意味で一番ぜいたくな乗り物だと思うわ
そうかもしれん
今度 自転車レースがあるんですけど先輩も出ませんか? ロードレーサーを一台かしますから!
わたしも出場するのよ!
じょうだんじゃないよ! ムダな体力 使いたかないよ!
1円にもならん…
くわっ
ひょっとして賞金は出るのか!?
ええ! 優勝は30万円出ます
わしも出場するよ!! いいこづかいかせぎだ!!
自転車歴20年のベテランだからな!!

好天にめぐまれた新高山《にいたかやま》一周自転車ロードレースいよいよスタートです
毎朝新聞社
バッバッバッ
ワーワー
中でも四キロもつづくトンネルが本日のハイライトと言えるでしょう!
女性ライダーも出場してます自信のほうはどうですか?
もちろん優勝よ!
ベテラン選手が多く出場してますが!自信は!
むろん優勝ですよ
さすが!闘志が燃えたぎってます
レース場は内外の名車があちらこちらに…

ありゃ!?
あなたはこの自転車で出場する気ですか?
そうだよ賞金がほしいからな!
なんか文句あるのか!!
文句ではありませんが…実用車で出場するとは…
ぼくもさんざん言いきかせたのですが…ガンコでして
レースをなめてるとしか言いようがありませんね…
乗りなれた自転車が一番いいんだよ!
まもなく新高山ロードレースのスタートです
スタート!!!
ABC

きれいにスタートしました!
どけどけ!!
ひゃあ!!
うわっ!
あっ!?
お先に!
くそ!中川麗子め!!

ガッ
こっちも全開だ!!
ぬおおおおおお!!
ドギュイイイン
やったぜ20人ぬいた!!
ぐわっ
実用車なのですからムチャしないでください! 先輩!!
くそ!! チェーンがはずれたのか!
全然手入れをしなかったからな!
うるさい!
だてにロードレーサーを名乗ってないな! やつらの自転車!
たしかに軽くてスピードも出ている

なんの！体力でカバーするぞ！
ぬおお
うおっ!!
女にぬかれた!!
うーむ やはり わしの自転車はエネルギーをロスしている
やっぱりロードレーサーかりればよかった！
はあ
ぜい
ぜい
あっ!?
どうしたんだこんな所で止まって！
トンネルが事故で通れないんですよ！
Cinelli
ただ今トンネル内で落盤《らくばん》がありました
このトンネルは通行止めにします！
コース指定車
MMC

トンネルが使えないので山を越えてくださいレースは続行します！
ガヤ
ガヤ
ガヤ
えーっ山越え!?
マウンテンバイクにすればよかったな
山越えか！こりゃ運がむいてきたぞ!!
ガヤ
ひどい道だ！自転車がいたむ！
ガタ
ガタ
ガタ
ガタ
ガタ
ガタ
ガタ
まさかこんな所を走るとは…
あっタイヤがパンクだ！
こっちもだ!!
ガタッ
ガタタタ
まるでノコギリの歯のような路面ねリムが変形しそうでこわいわね
リタイア続出だよ F1《エフワン》でダートコース走るようなものだからね！

Bine
いやあ おふたりさん
コースが変わったていどでリタイアとはなさけない
イタリア製のすばらしい名車がなきますな!
日本の道はやはり日本車でないとね
がんじょうがとりえの私の名車はこういう道は大得意!
じゃあまた二度と会わないと思うけどね!
うおおおおお
ガシャ
水を得た魚のようだ
あっ ガケで行き止まりか!
キイ
なんの!このくらいならのぼってやる!
迂回《うかい》したら時間のロスだ

あっ
あいつら！
こら！
ついて
来るんじゃ
ない!!
ここを
通ったほうが
はやいからな！
どうしても
来るなら
来られん
ようにして
やるぞ！
ガッ
ガッ
ガッ
ガラ
ガラ
ゴロン
なんて
ひきょうな
！
うわっ
あっ
つり橋
だ！
みんな
わたって
いるぞ
！
たしかに
のぼるより
むこうのが
はやいか！
しかし
今さら
おりるのも
……
よし!!
ここから
行くぞ!!

うおっ!!
まるでロデオだ!
うわっ!!
おちた!?
どけどけ!!
ふみつぶすぞ!
うわっ!!
ひゃあ!!
ぐわっ

みなさんとは ここで おわかれだね
あっ!!
つり橋を!?
うわっ
ひゃっ
わっ
ひどい! つり橋を 切りはなした わ!
ブレーキが こわれた!
うわっ 落ちる!
ズザザザーーッ
レースが めちゃくちゃだ!

いててっ まいったな!
しかし 一番で コースに もどれた
あっ 自転車が!!
メチャクチャだ!!
バーストしたタイヤなどじゃまだ! リムで充分!!
こわれたブレーキもいらん!
あと少しでゴールだからな!!
なんとか走れるようにしないと!
ガッ ガッ ガッ
さすが日本の実用車! なんとか走る!
とは言うものの乗り心地は最悪!!
ガタタン
ガタン
あっ!?
後続車が!?
トンネルがなおって本コースから来た選手たちですよ
なんだって!!

なんのために山越えしたんだ！くそ!!
ゴールまで全開だ!!
ぐわっ
ちくしょうハンドルがおれた！
もはやここまでか!!
くそ〜〜〜！このままじゃぬかれる！
あと一歩で賞金が手に入るのに!!
よし！
ガチャ
ガチャガチャッ
ガチャ
ガチャ
どんなことをしてもゴールへ入るぞ！

こちら葛飾区亀有公園前派出所⑦(完)

★週刊少年ジャンプ1988年30号

解説エッセイ「『こち亀』に熱中して事故を起こさないように！」

デーブ・スペクター（放送プロデューサー）

えっと、『天才バカボン』の話ですよね？（笑）違いますか。
ちょっとヘンな言い方だけど、ボクは結構、警察が好きでね。日本のお巡りさんとか交番が昔から好きなんですよ。実際、もう引退しちゃいましたけど、ボクの親戚もシカゴ警察の刑事やってましてて。で、一人はお腹を撃たれたんだけど、あんまり太ってたから、全然平気だったんです。まあ、そういうのもあるし、ワイドショーのコメンテーターもやってるくらいだから、どうしても犯罪がらみのね、警察がらみの話が周りに多くて。そういった状況の中だし、元々ボクも日本のマンガが好きだから、警察関係のマンガ、特に『こち亀』は非常に好きなんですよ。しかも『こち亀』は、時事ネタというか、時事性がありますから、凄く感心します。アメリカでもヨーロッパでもそうだと思うんですけど、マンガ家の永遠の課題は、お話を現代にすべきか、それとも『サザエさん』みたいにキャラクターが歳を取らないものにするのか、本当に難しい決断だと思うんですよ。『こち亀』みたいなマンガだと、若いお巡りさんも読むだろうし、読者も若い人が多いだろうから、タイムリーに時事ネタの話とかを盛り込んでますよね。それでも、あとになって読んだ時に、ああそんな頃があったなあ、とか、みんなこうだったねえとか楽しめて、必ずしも時事性の高いものをやったからといって、それがあとになってつまらなくなるというわけじゃないと思うんですよ。バリューが下がる事はないという事ですね。むしろ、『こち亀』みたいに時事ネタをうまくやれば、ファンは増えると思うんですよ。

そしてもう一つ言えるのが、分析するわけじゃないけど、この『こち亀』の人気の一つには、テレビの警察ドラマがちょっと元気ないというのもあると思うんですよ。これは、アメリカの警察もののテレビ番組を見ると、驚くぐらいの映画みたいな迫力があって、とても面白いんですよ。溯《さかのぼ》っても、『刑事コロンボ』でも分かるように本当に作りがいいんですよ。比べてみるに、日本の警察ドラマはちょっとリアリティがなくて、予算もあんまりなさそうですよね（笑）。『こち亀』の方がリアリティがあるんですよ、正直言って。最終的にはお笑いに持っていっているけれども、警察の中のキャラクターものとしてはまだリアリティがあります。というのは、日本の警察って開放性がないじゃないですか。記者会見もめったにやらないし。アメリカの警察って全部ローカルで、例えばニューヨークにしてもどこにしても非常に身近な存在ですよね。そして全部独立していて、2～3万人の人口の所でも自分達の警察がいるんですよ。だから、ロスに行ってもロスの市警だから、どことも繋がってない。それと同時に、国家色がないんですよね。FBIじゃないから。だから非常に身近で、お巡りさんも堂々としていてピストルも持ってるし、自分が警察官である事をどこでも言うし、とても身近なんです。制服姿でコーヒーショップにいても、全然おかしくないんですよ。従って、見えない、不透明な部分っていうのがあんまりないんですよ。でも日本では、交番で尋ね事をしないかぎりは接点がないんですよね。だから、アメリカなんかと対比して見ると、『こち亀』の面白さは、逆に普段見えない日本の警察が見えてくるところなんですよ。もちろんマンガですけど、でも警察のあり方とかね、結構興味深いですよ。お巡りさんになった気分になれるんだよね。

それと同時に、今の日本の組織に所属すると、上司に向かって好き勝手な事なんてとっても言えないけど、マンガの世界なら許せるというか。それは、日頃ストレスのたまっているサラリーマンや、ましてや本当のお巡りさんなんかもそうだと思うんですけど、ストレス解消になると思うんですよ。アメリカにはその上下関係のメリハリというのは、そんなに必要とされないんです。強いて言えば近いのは軍隊かな。実際に、軍隊を舞台にしたマンガが昔からあるんですけど、警察はないですね。軍隊はやっぱりいくらアメリカと言っても上下関係がハッキリしてるんで、下っ端の人がね、上の人をからかってやろう、というようなマンガはたくさんあるんです。上下関係が最もシビアなところですから。日本では、警察もそうですし、会社でも何でもそうだと思うんですけど、上下関係が厳しいですよね。だから『こち亀』は、下っ端とか普通の平社員とか、そういった下の立場の人達を取り上げるマンガとして素晴らしいですよ。欧米ではこのありがたみはないかも知れないけれど、日本人、あるいは日本に住む人にとっては、非常に意味があって楽しいんですよ。それに日本に警察官って10万人くらいいるから、それが全部『こち亀』のファンだとすると凄い数ですよ、考えてみたら（笑）。

それと、やっぱり秋本さんのセンスですよね。4年に一回しか現れない日暮さんですか、彼は面白いよね、情けなくて（笑）。これはファンを固定させるテクニックの一つとして素晴らしいです。あと、両さんのキャラクターね。どのマンガでもそうだと思うんだけど、設定はともかく、メインキャラクターがよくなければついていかないからね。もちろん、戸塚とかボルボ西郷とか、他のキャラクターも非常に楽しいしね。

それにギャクも最高！　『こち亀』は、大人にしか通じないギャクも多いんですよ。ボクなんかは、あんまり子供っぽいストーリーやセリフだと見たくないんですよね。でも秋本さんのギャグは完全に大人向けですから、例えばダウンタウンとかとんねるずとか、笑いの先端を行ってるような人達が、楽屋でヒマ潰しに読んでゲラゲラ笑ってる所が目に見えるんですよ。そういうのって、ギャグのセンスが非常に高等というか、大人向けですよね。なんで、こういったのがテレビドラマでやれないのか、といっつも思ってるんですよ。『こち亀』は、テレビで味わえない警察のユーモアや迫力を伝える役割を果たしている事もあると思うんです。これも、アメリカにはない事ですよね。チャンバラとか恋愛ものとかだと、かえってテレビの方が良かったりしますけど、警察ものだけはね、やっぱりちょっとややこしい事や協力をもらえないという事もあるんでしょうけど、こう、リアルじゃないんですよね。いろいろ予算もかかるし。でもマンガには予算がかからないからね。インクと紙があれば出来上がっちゃうから。『こち亀』はよく見ると、スケールの大きさや登場人物の豊富さからすると、予算がかかるはずなんですよ。テレビや映画的に言うと。でもマンガだと紙とインクだけ。これも素晴らしいよね。

ボクはマンガを読んでいて、分からない言葉があるとすぐ辞書を引いて、そうやって日本語を勉強していったんです。マンガが一番覚えやすいんですよ。絵があるからね。長い小説を読んでる途中で知らない言葉が出てきても、いちいち辞書引くのはおっくうだけど、マンガだと楽しいし、お勉強っていう感じがしないから、いつもメモとかしてた。マンガの場合は漢字にフリガナもついてるし、今はそんなに読めない字はないけど、基本的にマンガがボクの日本語の先生ですから。『こち亀』にも、結構お世話になってるんですよ(笑)。
最後に『こち亀』愛読者にメッセージ。「『こち亀』に熱中して交通事故を起こさないように!」(笑)

掲載作品は集英社より刊行されたジャンプ・コミックス『こちら葛飾区亀有公園前派出所』第60巻（1989年10月）第61巻（同12月）第62巻（1990年2月）の中から、著者自らが精選して収録したものです。

7月新刊　大好評発売中

夢《ゆめ》幻《まぼろし》の如《ごと》く 7 〈全8巻〉
本宮ひろ志

本能寺で死んだはずの織田《おだ》信長《のぶなが》。彼は奇跡の生還を遂げ、秀吉《ひでよし》の前に現れた！　天下統一の夢を超えた信長の新たなる野望とは…!?

とっても！ラッキーマン 7 8 〈全8巻〉
ガモウひろし

①②ラッキークッキーあとがき　ガモウひろし

日本一ツイてない中学生・追手内洋一《ついてないよういち》が、幸運の星から来たラッキーマンと合体すればツイてるヒーローに大変身！宇宙の悪に挑む！

こち亀文庫 17
秋本 治

各巻　巻末企画「当世流行《はやりもの》目録」―「伊達男・看板娘評判記」

前人未到のコミックス160巻を突破した長人気作『こち亀』が再び文庫で登場！笑いと興奮、そしてなつかしネタ満載の101巻からを収録！

浅田弘幸作品集2　眠兎《ミント》〈全2巻〉
浅田弘幸

あとがき　浅田弘幸

暗い過去を持つ二人の少年、空木《うつぎ》眠兎《ミント》と小泉《こいずみ》時雨《しぐれ》が、お互いを意識し、ぶつかり合う！　浅田弘幸が描くコミック叙情詩、待望の文庫化!!

BADだねヨシオくん！ 2 〈全3巻〉
浅田弘幸

新たなライバルあらわる！　そしてヨシオの父の謎に迫るバトルGP《グランプリ》第2戦スタート!!　読切『しやわせ家族戦士プリチーバニー』も収録。

集英社文庫〈コミック版〉

ラブホリック 5 〈全5巻〉
宮川匡代
③同時収録「love must go on」「in the showcase」
④同時収録「Somebody loves you」 ⑤同時収録「love must go on」

シゲルは食品メーカーで働くOL。口の悪い上司・朝比《あさひ》奈《な》課長には怒られてばかり。でも最近、男として意識し始め!? 新世紀オフィスラブ!

花になれっ! 9 〈全9巻〉
宮城理子
①解説エッセイまんが⑨あとがきエッセイまんが　宮城理子

地味な女子高生・ももは、ひょんな事から超イケメンな蘭《らん》丸《まる》の家で住み込みメイドをする事に。その上、蘭丸の手でキレイに変身して!?

ラブ♥モンスター 1 〈全7巻〉
宮城理子
①解説エッセイまんが　宮城理子

SM《セントモンスター》学園に入学したヒヨを待っていたのは、イケメン生徒会長・黒《くろ》羽《う》をはじめ、個性豊かな妖怪たちで…!? 妖怪ラブ♥ファンタジー。

ごきげんな日々
谷川史子初恋読みきり選
谷川史子

誰もが経験したことのある初めての恋…。あの日に感じた、切なくて甘酸っぱい気持ちを鮮やかに描いた、珠玉の初恋読みきり選。

外はいい天気だよ
谷川史子片思い作品集
谷川史子
あとがき　谷川史子

付き合っていても距離を感じる恋人同士…、一方通行な想いに悩む彼女など…。様々な片思いのかたちを繊細に綴った、片思い作品集。

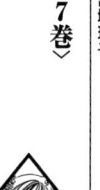

集英社文庫〈コミック版〉既刊リスト

●秋本　治
自選こち亀コレクション
こちら葛飾区亀有公園前派
出所〈全26巻〉
こちら葛飾区亀有公園前派
出所ミニ〈全4巻〉
こちら葛飾区亀有公園前派
出所・大入袋〈全10巻〉
秋本治傑作集〈上・中・下〉
こち亀文庫①〜⑰

●浅田弘幸
浅田弘幸作品集1　蓮華
浅田弘幸作品集2　眠兎
BADだねヨシオくん!①②

●麻宮騎亜
快傑蒸気探偵団〈全8巻〉

●浅美裕子
WILD HALF〈全10巻〉

●荒木飛呂彦
魔少年ビーティー
バオー来訪者
ジョジョの奇妙な冒険①〜㊿
オインゴとボインゴ兄弟大冒険

●作・三条　陸
画・稲田浩司
監修・堀井雄二
ドラゴンクエスト ダイの大冒険
〈全22巻〉

●今泉伸二
空のキャンバス〈全5巻〉

●うすた京介
武士沢レシーブ

●梅澤春人
BØY〈全20巻〉

●江川達也
まじかる☆タルるートくん
〈全14巻〉

●えんどコイチ
死神くん〈全8巻〉
ついでにとんちんかん〈全6巻〉

●作・真倉　翔
画・岡野　剛
地獄先生ぬ〜べ〜〈全20巻〉

●荻野　真
孔雀王〈全11巻〉
孔雀王—退魔聖伝—〈全7巻〉
夜叉鴉〈全6巻〉

●奥　浩哉
変〈全9巻〉

●作・写楽麿
画・小畑　健
人形草紙あやつり左近〈全3巻〉

●作・城アラキ
画・甲斐谷忍
監修・堀　賢一
ソムリエ〈全6巻〉

●かずはじめ
MIND ASSASSIN
〈全3巻〉
明稜帝梧桐勢十郎〈全6巻〉
かずはじめ作品集1　遊天使
かずはじめ作品集2　Juto
かずはじめ作品集3　0-Game

●桂　正和
ウイングマン〈全7巻〉
超機動員ヴァンダー
プレゼント・フロムLEMON
電影少女〈全9巻〉

●作・鏡　丈二
画・金井たつお
ホールインワン〈全8巻〉

●ガモウひろし
とっても!ラッキーマン
〈全8巻〉

●きたがわ翔
19〈NINETEEN〉〈全7巻〉
ホットマン〈全10巻〉
B.B.フィッシュ〈全9巻〉

●桐山光侍
NINKU—忍空—〈全6巻〉

●車田正美
風魔の小次郎〈全6巻〉
男坂〈上・下〉
聖闘士星矢〈全15巻〉
雷鳴のZAJI
あかね色の風

●作・寺島　優
画・小谷憲一
テニスボーイ〈全9巻〉

●許斐　剛
COOL〈全2巻〉

●佐藤　正
燃える!お兄さん〈全12巻〉

●柴田亜美
自由人HERO〈全8巻〉

●作・城アラキ
画・志水三喜郎
監修・堀　賢一
新ソムリエ 瞬のワイン〈全6巻〉

●新沢基栄
3年奇面組〈全4巻〉
ハイスクール!奇面組〈全13巻〉

●鈴木　央
ライジングインパクト〈全10巻〉

●高橋和希
遊☆戯☆王〈全22巻〉

●高橋陽一
キャプテン翼〈全21巻〉
キャプテン翼
—ワールドユース編—〈全12巻〉
キャプテン翼
ROAD TO 2002〈全10巻〉

●高橋よしひろ
エース!〈全6巻〉
銀牙—流れ星 銀—〈全10巻〉
白い戦士ヤマト〈全14巻〉

●武井宏之
仏ゾーン〈全2巻〉

●作・夢枕 獏
画・谷口ジロー
神々の山嶺〈全5巻〉

●ちばあきお
キャプテン〈全15巻〉
プレイボール〈全11巻〉

●作・七三太朗
画・ちばあきお
ふしぎトーボくん〈全4巻〉

●次原隆二
よろしくメカドック〈全7巻〉

●つの丸
みどりのマキバオー〈全10巻〉

●手塚治虫
名作集①ゴッドファーザーの息子
名作集②雨ふり小僧
名作集③百物語
名作集④マンションOBA
名作集⑤はるかなる星
名作集⑥白縫
名作集⑦⑧フライング・ベン〈全2巻〉
名作集⑨⑩ナンバー7〈全2巻〉
名作集⑪新選組
名作集⑫⑬⑭ビッグX〈全3巻〉
名作集⑮⑯アポロの歌〈全2巻〉
名作集⑰グランドール
名作集⑱光線銃ジャック
名作集⑲緑の猫
名作集⑳くろい宇宙線
名作集㉑どついたれ

●冨樫義博
てんで性悪キューピッド〈全2巻〉

●徳弘正也
シェイプアップ乱〈全8巻〉

●鳥山 明
Dr.スランプ〈全9巻〉
鳥山明 満漢全席①②

●作・武論尊
画・原 哲夫
北斗の拳〈全15巻〉

●樋口大輔
ホイッスル！〈全15巻〉
樋口大輔作品集
BREAK FREE＋《プラス》

●作・牛次郎
画・ビッグ錠
包丁人味平〈全12巻〉

●ビッグ錠
一本包丁満太郎セレクション〈全8巻〉

●平松伸二
ブラック・エンジェルズ〈全12巻〉

●作・武論尊
画・平松伸二
ドーベルマン刑事〈全18巻〉

●藤崎 竜
藤崎 竜作品集1
サイコプラス
藤崎 竜作品集2
サクラテツ対話篇
藤崎 竜作品集3
天球儀
ワークワーク〈全3巻〉

●星野之宣
妖女伝説〈全2巻〉
MIDWAY〈歴史編〉〈宇宙編〉

●巻来功士
ゴッドサイダー〈全6巻〉

●まつもと泉
きまぐれオレンジ★ロード〈全10巻〉
せさみ★すとりーと〈全2巻〉

●光原 伸
アウターゾーン〈全10巻〉

●宮下あきら
魁!!男塾〈全20巻〉
激!!極虎一家〈全7巻〉

●村上たかし
ナマケモノが見てた〈全5巻〉

●本宮ひろ志
男一匹ガキ大将〈全7巻〉
硬派銀次郎〈全8巻〉
天地を喰らう〈全4巻〉
俺の空〈全11巻〉
赤龍王〈全5巻〉
さわやか万太郎〈全6巻〉
猛き黄金の国 岩崎弥太郎〈全3巻〉
猛き黄金の国 斎藤道三〈全4巻〉
サラリーマン金太郎〈全20巻〉

●森下裕美
夢幻の如く①〜⑦
少年アシベ〈全4巻〉

●作・伊藤智義〈①④のみ〉
画・森田信吾
栄光なき天才たち〈全4巻〉

●森田まさのり
ろくでなしBLUES〈全25巻〉
ROOKIES〈全14巻〉

●諸星大二郎
暗黒神話
孔子暗黒伝
自選短編集
汝、神になれ鬼になれ
自選短編集 彼方より
妖怪ハンター〈地の巻〉〈天の巻〉〈水の巻〉

●八木教広
エンジェル伝説〈全10巻〉

●矢吹健太朗
BLACK CAT〈全12巻〉

●やまさき拓味
邪馬台幻想記
自選作品集 優駿たちの蹄跡〈全4巻〉

●作・大鐘稔彦
画・やまだ哲太
外科医・当麻鉄彦 メスよ輝け!!〈全8巻〉

●弓月 光
ボクの初体験〈全2巻〉
エリート狂走曲〈全4巻〉
ボクの婚約者〈全5巻〉
甘い生活①〜⑫

●ゆでたまご
みんなあげちゃう♥〈全13巻〉
キン肉マン〈全18巻〉
闘将!!拉麺男〈全8巻〉

●吉沢やすみ
ど根性ガエル①②

●吉田ひろゆき
Y氏の隣人ー傑作100選ー〈全8巻〉

コミック文庫HP
http://comic-bunko.shueisha.co.jp/

集英社文庫(コミック版)

こちら葛飾《かつしか》区《く》亀有《かめあり》公園前《こうえんまえ》派《は》出所《しゅつじょ》 7

1996年 8 月18日　第 1 刷
2009年 7 月31日　第12刷

定価はカバーに表示してあります。

著　者　秋《あき》本《もと》　治《おさむ》

発行者　太 田 富 雄

発行所　株式会社 集 英 社
東京都千代田区一ツ橋 2 － 5 －10
〒101-8050
電話　03（3230）6251（編集部）
03（3230）6393（販売部）
03（3230）6080（読者係）

印　刷　図書印刷株式会社

造本には十分注意しておりますが、乱丁・落丁（本のページ順序の間違いや抜け落ち）の場合はお取り替え致します。購入された書店名を明記して、小社読者係宛にお送り下さい。送料は小社負担でお取り替え致します。但し、古書店で購入したものについてはお取り替え出来ません。

Printed in Japan

ISBN4-08-617107-4　C0179